folio
junior

Le Club des Baby-Sitters

0. La fondation du Club
1. L'idée géniale de Kristy
2. Claudia et le Visiteur Fantôme
3. Le secret de Lucy

Ann M. Martin

Le Club des Baby-Sitters

0. La fondation du Club

Traduit de l'américain
par Vanessa Rubio

Illustrations de Karim Friha

GALLIMARD JEUNESSE

Comme promis, voici le portrait
des sept membres du

Club des Baby-Sitters...

NOM : Kristy Parker, présidente du club
SA TENUE PRÉFÉRÉE : jean, baskets et casquette.
ELLE EST... fonceuse, énergique, déterminée.
ELLE DIT TOUJOURS : « J'ai une idée géniale... »
ELLE ADORE... le sport, surtout le base-ball.

NOM : Mary Anne Cook,
secrétaire du club
SA TENUE PRÉFÉRÉE :
toujours très classique,
mais elle fait des efforts !
ELLE EST… timide,
très attentive aux autres
et un peu trop sensible.
ELLE DIT TOUJOURS :
« Je crois que je vais
pleurer. »
ELLE ADORE… son chat,
Tigrou, et son petit ami, Logan.

NOM : Lucy MacDouglas,
trésorière du club
SA TENUE PRÉFÉRÉE :
tout, du moment que c'est
à la mode…
ELLE EST… new-yorkaise
jusqu'au bout des ongles,
parfois même un peu snob !
ELLE DIT TOUJOURS :
« J'♥ New York. »
ELLE ADORE… la mode,
la mode, la mode !

NOM : Carla Schafer, suppléante
SA TENUE PRÉFÉRÉE :
un maillot de bain pour bronzer sur les plages de Californie.
ELLE EST… végétarienne, cool et vraiment très jolie.
ELLE DIT TOUJOURS :
« Chacun fait ce qu'il lui plaît. »
ELLE ADORE… le soleil, le sable et la mer.

NOM : Claudia Koshi, vice-présidente du club
SA TENUE PRÉFÉRÉE :
artiste, elle crée ses propres vêtements et bijoux.
ELLE EST… créative, inventive, pleine de bonnes idées.
ELLE DIT TOUJOURS :
« Où sont cachés mes bonbons ? »
ELLE ADORE… le dessin, la peinture, la sculpture (et elle déteste l'école).

NOM : Jessica Ramsey,
membre junior du club
SA TENUE PRÉFÉRÉE :
collants, justaucorps
et chaussons de danse.
ELLE EST… sérieuse,
persévérante et fidèle en amitié.
ELLE DIT TOUJOURS :
« J'irai jusqu'au bout de mon rêve. »
ELLE ADORE… la danse classique
et son petit frère, P'tit Bout.

NOM : Mallory Pike,
membre junior du club
SA TENUE PRÉFÉRÉE :
aucune pour l'instant,
elle rêve juste de se
débarrasser de ses lunettes
et de son appareil dentaire.
ELLE EST… dynamique
et très organisée. Normal
quand on a sept frères
et sœurs !
ELLE DIT TOUJOURS : « Vous allez ranger
votre chambre ! »
ELLE ADORE… lire, écrire. Elle voudrait même
devenir écrivain.

Pour Jean Feiwel, David Levithan, Brenda Bowen et Bethany Buck – du début à la fin… et retour

1
Kristy

C'est moi qui ai eu l'idée de fonder le Club des Baby-Sitters et j'en suis fière, même si nous avons toujours travaillé en équipe. « Nous », c'est-à-dire Mary Anne Cook, Claudia Koshi, Lucy MacDouglas et moi, Kristy Parker.

C'était juste avant notre entrée en cinquième, après ce fameux été où Mary Anne a voulu changer de vie, où Claudia a connu son premier amour (et où, du coup, nous avons failli nous disputer avec elle) et, enfin, où une jeune New-Yorkaise désespérée est venue s'installer dans notre quartier.

Il s'en est passé des choses, cet été-là.

Quand nous en avons reparlé ensemble, plus tard, nous nous sommes aperçues que, chacune de notre côté, nous avions énormément changé durant ces vacances. Jusque-là, nous étions encore des petites filles insouciantes. Et soudain, Mary Anne s'est aperçue qu'elle n'était plus une enfant, et pas encore une adolescente. Claudia sentait qu'elle s'éloignait de nous, qu'elle partait vivre sa vie d'ado en nous laissant sur la touche, Mary Anne et moi. Lucy, elle, avait passé une année atroce grâce à ses « amies », et voilà que ses parents avaient brusquement décidé de quitter New York pour emménager à Stonebrook, dans le Connecticut, où elle ne connaissait rigoureusement personne. Quant à moi, Kristy Amanda Parker, j'avais l'impression d'être une étrangère au sein de ma propre famille. Mes frères adoraient Jim, le nouveau copain de ma mère, alors que moi, je ne pouvais m'empêcher de penser : « Et papa, dans tout ça ? C'est quand même notre père ! » C'est pour ça que j'ai décidé de lui donner une deuxième chance.

L'été avait débuté un peu comme tous les autres… mais, en septembre, nous n'étions plus les mêmes. Nous avions grandi. L'été nous avait rapprochées, Claudia, Lucy, Mary Anne et moi. C'est dans ces circonstances que nous avons fondé notre célèbre Club et que nous sommes devenues pour toujours et à jamais des baby-sitters !

Lorsque la sonnerie a annoncé la fin des cours, le dernier jour de sixième, j'étais prête. J'avais vidé mon casier. Il ne restait pas un morceau de papier, pas une gomme, pas un emballage de chewing-gum, une épluchure de crayon ni même un trombone. J'avais tout jeté (y compris une vieille chaussette puante). Puis j'avais récuré l'intérieur avec le produit et l'essuie-tout que j'avais apportés. Au moins, je ne risquais pas de recevoir un appel du surveillant au sujet de « l'état déplorable de mon casier », comme certains. Je ne voulais pas remettre les pieds au collège avant le mois de septembre prochain. En entendant la sonnerie, j'ai bondi de ma chaise en lançant un vague au revoir par-dessus mon épaule à la prof et j'ai foncé vers la sortie, où j'ai retrouvé ma meilleure amie, Mary Anne. Comme elle avait également pris soin de nettoyer son casier le matin, nous pouvions quitter l'école tranquilles.

Mais il fallait d'abord qu'on attende Claudia. N'étant hélas pas aussi organisée que nous, elle devait encore s'occuper de son casier et aussi avoir une petite conversation avec son prof de maths qui lui avait assuré qu'elle n'allait pas redoubler, tout en lui signalant qu'elle n'avait pas le niveau pour passer. Je sais, ce n'est pas très clair, mais c'est ce qu'elle m'avait expliqué. De toute façon, j'avais la tête ailleurs, j'étais en VACANCES !

Nous avons donc patienté à la sortie, en regardant les autres défiler, dans un concert de cris de joie et d'éclats de rire.

– Hé, Mary Anne, tu sais ce que faisait ma grand-mère le dernier jour de classe ?

– Non, quoi ? a-t-elle répliqué, un peu agacée de ce contretemps.

– Elle chantait : « Donne-moi ta main et prends la mienne, mais oui, mais oui, l'école est finie ! »

Elle m'a regardée avec de grands yeux.

– C'est quoi, ton truc ?

– Aucune idée, je trouve ça drôle, c'est tout.

Mary Anne tournicotait une de ses nattes brunes autour de son index.

– Peut-être que…

Je l'ai coupée :

– Voilà Claudia !

Notre amie arrivait à une allure d'escargot, bras dessus bras dessous avec Dorianne O'Hara, encadrée par Peter Black et Howie Johnson.

– Dori…, a soufflé Mary Anne.

– Des garçons, ai-je renchéri.

Au début de l'année, Claudia, Mary Anne et moi, on mangeait tous les midis ensemble, mais après les vacances de Pâques, Claudia avait commencé à changer. Elle s'intéressait de plus en plus à Dori et à sa bande (qui, elles, ne s'intéressaient qu'à la mode) et de moins en moins à nous ou à quoi que ce soit d'autre, à part les garçons.

Tandis que Dori, Howie et Peter se dirigeaient vers l'arrêt de bus, elle leur a adressé un signe de la main.

– Salut !

Puis elle nous a souri.

– Hello, les filles.

J'ai eu brusquement l'impression d'être un vieux T-shirt en solde abandonné sur son cintre.

– Salut, Claudia, a répondu Mary Anne alors que nous nous mettions en route. Tu connais la chanson *L'école est finie* ?

Claudia a fait claquer son chewing-gum en haussant les épaules.

Mais Mary Anne ne s'avouait pas vaincue.

– Alors, vous faites quelque chose, cet aprèm, les filles ?

Claudia s'est empressée de répondre :

– Rien, absolument rien, merveilleusement rien. Plus d'école, pas de devoirs, le bonheur…

Elle a ajouté après une courte pause :

– Enfin, je crois que je vais peindre.

– Moi, je garde David Michael, suis-je intervenue.

C'est mon petit frère, qui avait six ans à l'époque. Avec mes grands frères (Samuel, seize ans et Charlie, quatorze), on se relayait pour le surveiller après l'école, notre mère ne pouvant se permettre de payer une nounou. Nos parents avaient divorcé, et notre père, qui s'était remarié à l'autre bout du pays, en Californie, envoyait de l'argent quand il en avait envie. C'est-à-dire pas souvent car il ne faisait que des petits boulots mal payés. « On ne peut pas tirer de l'eau d'une pierre », avait coutume de répéter notre mère. (En y repensant, on ne peut pas tirer grand-chose d'une pierre, de toute façon, mais vous voyez ce qu'elle voulait dire.)

Nous étions arrivées à Bradford Alley, où Claudia, Mary Anne et moi, nous avons grandi. C'était bizarre de penser que, onze ans plus tôt, trois bébés étaient nés à quelques mois d'intervalle dans cette rue – Mary Anne et moi dans des maisons voisines et Claudia juste en face. Nos parents étaient tout jeunes à l'époque. Papa et maman étaient mariés, ils n'avaient pas encore eu David Michael, et la mère de Mary Anne était en vie. Est-ce qu'ils se connaissaient ? Peut-être étaient-ils amis, comme nous ? Je n'avais jamais posé la question à ma mère.

Mon chien, Foxy, aboyait comme un fou. Il devait être juste derrière la porte.

– Il faut vite que je lui ouvre, ai-je remarqué.

– Moi, je vais peindre, a enchaîné Claudia en traversant la rue.

– Et moi, je file…, a ajouté Mary Anne d'un ton mystérieux.

– Attends ! Qu'est-ce que tu vas… ? ai-je commencé.

Mais elle était déjà au milieu de son jardin. Elle m'a adressé un petit signe par-dessus son épaule.

– Bon…, ai-je marmonné en ouvrant la porte de chez moi.

Foxy, notre vieux colley, a failli me renverser dans sa hâte de sortir.

– Hé ! ai-je protesté. Tiens, voilà Sam et David Michael (c'était au tour de Sam d'aller le chercher à l'école).

Foxy leur a fait la fête tandis qu'ils remontaient l'allée. Mon petit frère a agité les mains en l'air pour montrer qu'il n'avait ni cahier ni crayons.

– Et voilà, à toi de jouer, a commenté Sam en le poussant vers moi.

– Où tu vas ? ai-je demandé.

– Chez Hank. Je rentre pour le dîner, m'a-t-il annoncé en jetant son sac à dos dans l'entrée.

Puis il a filé et disparu au coin de la rue.

– Allez, ai-je affirmé pour m'en convaincre, on va bien s'amuser.

J'ai fait rentrer David Michael et le chien et nous nous sommes rendus dans la cuisine.

– Tu imagines ? ai-je dit en sortant deux pommes et du fromage du réfrigérateur. C'est notre dernier goûter de sortie d'école jusqu'en septembre. C'est-à-dire dans dix semaines (j'avais compté) !

David Michael a souri.

– Je parie qu'on va manger une pizza, ce soir !

J'ai haussé les sourcils. J'adore la pizza, mais je ne comprenais pas…

– Parce que maman sort avec Jim ! a-t-il ajouté triomphalement.

– Ah bon ? Encore ?

Elle avait déjà passé le lundi soir en compagnie de son « petit ami ». J'avais l'impression qu'ils se voyaient de plus en plus souvent, depuis leur rencontre en mai.

– Kristy, je te signale que tu me gardes ce soir, a souligné mon frère. Et tu seras payée, tout ça parce qu'elle sort avec Jim !

– Mouais…, ai-je grommelé.

Tout en goûtant, David Michael m'a raconté une longue anecdote où il était question d'un gamin de sa classe qui avait vomi à l'heure du déjeuner.

– Mais je n'en ai pas eu sur moi, a-t-il conclu fièrement. Ni sur mon sandwich.

– Encore heureux, ai-je commenté.

Pour changer de sujet, j'ai proposé :

– Tu veux aller au square, cet après-midi ?

– Celui qui est en face de l'école ? s'est-il écrié, horrifié. Oh non, alors !

– Au grand parc, alors ?

– D'accord.

Nous avons donc passé un agréable moment sur les balançoires et les toboggans, avant de jouer aux pirates sur le bateau en bois. Nous sommes arrivés à la maison juste à temps pour voir maman sortir de sa voiture avec un carton à pizza dans les bras.

– Qu'est-ce que je t'avais dit ? m'a glissé mon frère.

Ma bonne humeur m'a quittée instantanément.

Bizarrement, dans la famille, personne d'autre n'avait l'air de partager mon agacement. Tous mes frères étaient ravis de se goinfrer de mozzarella, poivrons et anchois et ils ont eu l'air plutôt contents quand Jim est arrivé. (J'ai remarqué qu'il n'avait même pas sonné. Il a frappé un coup et est entré en disant : « Salut ! » avant même qu'on ne lui ouvre.)

– Bon, a dit maman, ce soir, c'est Kristy qui garde David Michael. Samuel et Charlie, vous vous débrouillez tout seuls. Je rentre vers dix heures. Kristy, tu sais où sont les numéros d'urgence. Avec Jim, on va dîner *Chez Maurice*.

– Ben dis donc ! ai-je commenté. (Il s'agit d'un restaurant français très chic.)

Ma mère m'a ignorée.

– David Michael peut se coucher à neuf heures. Horaire de vacances.

– Waouh ! s'est-il exclamé, car quand il y a école, il doit aller au lit beaucoup plus tôt.

À neuf heures et quart, il dormait à poings fermés. Quant à Sam et Charlie, ils étaient chez un copain. J'ai erré dans la maison silencieuse, heureuse que Foxy soit là pour me tenir compagnie. Et soudain… je me suis surprise moi-même.

C'est drôle parfois, on se dit qu'on va lire ou allumer la télé, et on se retrouve à faire quelque chose de complètement différent, quelque chose qu'on n'avait pas prévu. Je ne sais pas ce qui m'a pris, mais je me suis armée d'un stylo et d'un bloc de papier, je me suis assise à la table de la cuisine et j'ai écrit à mon père.

Cela faisait presque cinq mois que je ne lui avais pas envoyé de lettre et encore plus longtemps que je ne l'avais pas eu au téléphone. Alors pourquoi ressentais-je soudain le besoin de le contacter ? Je n'en étais pas vraiment sûre, mais j'avais l'impression qu'il était temps de lui raconter ce qui m'était arrivé depuis le mois de février. Il s'était passé tellement de choses qu'il ignorait – à moins que maman ne l'ait tenu au courant, mais quand même, ce n'était pas pareil. Papa ne savait pas que j'avais eu un bon bulletin ni que j'avais commencé à garder des enfants dans le quartier pour gagner un peu d'argent de poche. Je ne lui avais pas dit que j'avais manqué les cours pendant une semaine à cause d'une angine ni que Mary Anne et moi, nous étions parfois choquées par les tenues de Claudia ces derniers temps, et encore moins que maman n'arrêtait pas de sortir avec Jim Lelland.

J'hésitais à lui en parler, ne sachant pas si elle l'avait fait. Puis je me suis demandé ce que j'attendais exactement en écrivant à mon père. D'accord, c'était mon père et je tenais à rester en contact avec lui. Mais il y avait une autre raison. Tout au fond de moi, j'espérais qu'il pourrait à nouveau faire partie de la famille, que tout pourrait recommencer comme avant. Je savais bien que c'était idiot. Mes parents étaient divorcés depuis des années. Papa s'était remarié et vivait à des milliers de kilomètres. Maman sortait avec d'autres hommes, et en particulier avec Jim. Mais peu importe. Je voulais que papa, maman, mes frères et moi, on soit à nouveau tous réunis sous le même toit.

Et puis c'était bientôt mon anniversaire (en août) et je me demandais si papa y penserait. Pour celui d'avant, il m'avait envoyé une carte, mais on s'écrivait plus souvent à l'époque. J'avais bien envie d'y glisser une allusion subtile dans ma lettre (« Tu imagines, j'ai bientôt douze ans ? »), mais je préférais qu'il y pense de lui-même, ça me toucherait beaucoup plus. Du coup, j'ai terminé ma lettre par un simple « Bisous et bonnes vacances ! » comme si j'écrivais à une copine. J'ai fermé l'enveloppe, collé un timbre et inscrit l'adresse que papa nous avait donnée cet hiver. J'espérais que c'était la bonne, étant donné qu'il déménage souvent.

J'étais en train de glisser ma lettre sous la pile de courrier à poster dans l'entrée lorsque le téléphone a sonné. Je me suis ruée pour décrocher, craignant que ça ne réveille David Michael.

– Allô ?

– Kristy ? C'est Mme Pike.

Mon cœur s'est emballé. Les Pike ont huit enfants (oui, vous avez bien lu) et me demandent parfois de garder les plus jeunes. J'allais peut-être pouvoir gagner un peu d'argent de poche tout en perfectionnant mes talents de baby-sitter !

– Mon mari et moi, nous devons assister à une réunion jeudi soir, m'a-t-elle informée. Pourrais-tu venir à la maison ? Les huit enfants seront là, alors il faudrait peut-être que vous soyez deux pour les garder. Je viens d'avoir Claudia mais elle n'est pas disponible. Tu serais libre, toi ? Et par hasard aurais-tu une amie qui pourrait t'aider ?

– Pour moi, pas de problème, mais je peux vous rappeler demain pour l'autre baby-sitter ? Je vais vous trouver quelqu'un.

J'avais à peine raccroché que j'ai composé un autre numéro. Puis brusquement, j'ai reposé le combiné. J'allais téléphoner à Mary Anne, mais je venais de penser à deux choses : il était déjà un peu tard pour appeler chez elle (surtout avec son père qui était tellement sévère !) mais on était en vacances quand même. Restait un souci : Claudia et moi, nous avions déjà gardé des enfants ; en plus, j'avais de l'expérience, avec mon petit frère. Mais pour Mary Anne, ce serait la première fois.

Après avoir regardé fixement le téléphone pendant cinq bonnes minutes, indécise, je me suis lancée. M. Cook a répondu et il n'avait pas l'air fâché du tout, il m'a passé Mary Anne tout de suite.

– Bonne nouvelle ! lui ai-je annoncé. Mme Pike vient de m'appeler : elle a besoin de deux baby-sitters jeudi soir. Tu veux m'accompagner ?

Elle a semblé paniquée.

– Faire du baby-sitting ?

– Oui, on va bien s'amuser.

– Mais euh… je n'ai jamais gardé d'enfants. Et je ne sais pas si mon père sera d'accord.

– Tu peux lui en parler ? Après tout, Claudia et moi, on fait du baby-sitting et on a le même âge que toi.

– Oui, ça me plairait beaucoup mais… tu sais comment est papa.

Je ne connais pas de parent plus strict que M. Cook, sans doute parce qu'il a dû élever sa fille tout seul à la mort de sa femme. Mais ça n'est pas une raison…

– Il va bien falloir qu'il te laisse grandir un peu, ai-je affirmé.

– Ce serait chouette de faire du baby-sitting, a fait Mary Anne, d'une voix rêveuse. J'adore les enfants.

– Tu t'entends très bien avec David Michael, ai-je fait valoir pour l'encourager.

– Mais je serais tellement stressée. Et s'il y a un problème ? Et si on doit appeler la police ?

– Pourquoi veux-tu qu'on appelle la police ? Ça ne m'est jamais arrivé, tu sais.

– Ça ne t'angoisse pas, d'être responsable des enfants ?

– Non, pas du tout. J'adore. J'aime décider, organiser, commander.

Je commençais à me demander si c'était une bonne idée d'avoir proposé cette garde à Mary Anne, finalement.

– Je vais en parler à mon père. Je te rappelle demain.

– OK.

En raccrochant, j'ai traîné un peu dans la cuisine. J'ai regardé par la fenêtre… et j'ai vu la première étoile filante de l'été. J'aurais dû être ravie. Mais j'avais comme un mauvais pressentiment concernant ces vacances…

2

Mary Anne

Ma chambre était si rose que parfois, dans mon lit, j'avais l'impression de me noyer dans un océan rose. La moquette était rose, les cadres des tableaux étaient roses, les roses du papier peint étaient roses, les rideaux étaient à fleurs roses, noués avec des rubans roses.

Manque de chance, j'avais horreur du rose (je préfère le jaune et le bleu marine), mais mon père avait décoré ma chambre quand j'avais deux ans, pensant que ça plairait à une petite fille.

Le premier jour des vacances, en me réveillant, je suis restée allongée, flottant sur cette mer rose, à réfléchir à la proposition de Kristy. Je me demandais si j'étais prête à jouer les baby-sitters. J'en avais très envie, mais j'avais envie de tas d'autres choses, comme de vivre à New York, la ville la plus romantique au monde, sauf que bien sûr ce n'était pas possible dans l'immédiat. Quant à faire du baby-sitting…

J'ai essayé d'imaginer comment j'allais présenter ça à mon père. « Papa, hier soir, Kristy m'a proposé quelque chose… »

Il me regarderait, moi, sa petite fille avec ses deux longues nattes (il tenait à ce que je me coiffe comme ça, même si ça n'était pas très à la mode), vêtue d'une tenue qu'il avait choisie pour moi, et dirait : « Oui ? » (Il ne dit jamais « ouais ».) « De quoi s'agit-il ? »

« Elle m'a demandé si je pourrais faire un baby-sitting avec elle chez les Pike. »

Dans mes rêves, il répondrait : « Super. C'est une très excellente idée. Je suis sûr que tu vas très bien te débrouiller. »

Mais j'étais pratiquement sûre qu'il allait répliquer : « Mary Anne, c'est hors de question. Tu es beaucoup trop jeune pour garder des enfants. »

Un argument pas très pertinent pour un avocat, étant donné que j'ai le même âge que Kristy.

Avec un gros soupir, j'ai roulé sur le côté, face aux illustrations d'*Alice au pays des merveilles* et des *Contes de ma mère l'Oye* qui ornaient mon mur. À la place, j'aurais aimé avoir un poster de New York, de Paris la nuit et aussi, peut-être, une photo de chaton.

J'ai regardé l'heure. Mon père était sûrement déjà au travail. Je suis descendue dans la cuisine en bâillant. Comme prévu, il était parti. Il m'avait laissé un mot sur la table :

Bonjour, petite marmotte ! Bon premier jour de vacances ! S'il te plaît, n'oublie pas de :

1) M'appeler à 9 h 30 et si tu quittes la maison ;

2) Prendre un petit déjeuner équilibré comprenant un fruit et un laitage ;

3) Manger correctement à midi ;

4) Faire tourner le lave-vaisselle ;

5) Sortir la viande du congélateur pour qu'on puisse se faire des steaks ce soir.

Je t'embrasse,

Papa

P.S. : amuse-toi bien !

Il avait rajouté ça à la dernière minute, comme s'il venait juste de se rappeler en quoi consistaient les vacances. Je lui ai téléphoné pour lui confirmer que j'étais bien levée – et en vie ! Ensuite, j'ai vérifié que la porte était bien verrouillée afin que personne ne puisse s'introduire dans la maison pendant que j'étais sous la douche. Une fois habillée (pantacourt, chemisier et sandales choisis par papa, bien entendu), j'ai pris un petit-déjeuner-équilibré-comprenant-un-fruit-et-un-laitage, puis je me suis adonnée à mon activité favorite du moment : essayer d'en savoir plus sur ma mère.

Mon père n'était pas au courant. Il ne se doutait pas que j'avais trouvé un carton contenant les affaires de ma mère dans le grenier. Pour lui, c'était une cachette parfaite pour toutes les choses qu'il voulait mettre hors de ma portée parce que j'avais peur du noir et des endroits sombres. Mais un jour, au mois d'avril, coincée à la maison avec un rhume, j'avais pris mon courage à deux mains pour aller chercher une couverture dans le grenier. C'est là que j'avais découvert un carton marqué ALICE – le prénom de ma mère. Je l'avais sorti avec précaution, craignant qu'il n'abrite une colonie d'araignées ou de souris, puis je l'avais descendu dans ma chambre avant d'oser l'ouvrir. Dedans, il n'y avait heureusement ni insectes ni rongeurs, mais plein d'affaires ayant appartenu à ma mère.

Des souvenirs d'enfance et d'adolescence, de quand elle était étudiante, et même de quand elle était enceinte de moi. C'était inespéré car, à part au moment de la prière avant le dîner, mon père n'évoquait pratiquement jamais ma mère. Enfin, j'allais pouvoir en apprendre davantage à son sujet ! Mais je savais qu'il ne fallait pas que je lui en parle. En fait, seule Kristy était au courant, pour le carton, et je ne l'avais montré à personne.

Ce que je préférais, c'était les vieilles poupées. Il y en avait quatre, un peu plus grandes que des Barbie. Elles n'étaient pas particulièrement belles ni originales, elles n'avaient aucune valeur à part pour moi. Mais à mes yeux, elles représentaient un lien avec ma mère.

Je les ai assises sur mon lit avant de les déshabiller, en me disant que j'allais leur fabriquer de nouvelles tenues, quand on a sonné à la porte. J'ai dévalé les escaliers pour jeter un coup d'œil par la fenêtre, par crainte de me retrouver nez à nez avec un étranger, mais c'était Kristy qui se tenait sur le seuil.

– Salut !

Elle était habillée beaucoup plus « cool » que moi parce qu'elle a le droit de choisir ses vêtements. En plus, elle récupère parfois de vieux T-shirts ou de vieux jeans de ses frères. Elle n'a cependant pas fait de remarque sur mon chemisier à fleurs et s'est contentée d'entrer en demandant :

– Alors, tu as demandé à ton père ?

– Pour le baby-sitting ? Non, il était déjà parti quand je me suis levée. Je vais lui en parler à table ce soir.

– Bon… d'accord. Mais je dois rappeler Mme Pike aujourd'hui, alors n'oublie pas.

– OK. Promis.

– Qu'est-ce que tu étais en train de faire ?

– Viens, je vais te montrer.

Je l'ai emmenée dans ma chambre où les quatre poupées attendaient, toutes nues, sur mon lit.

Kristy a froncé les sourcils.

– Tu joues à la poupée ?

– Non, à la styliste. Je vais leur faire de nouvelles tenues.

Ça n'avait pas l'air d'enthousiasmer mon amie.

– Tu ne préférerais pas sortir, plutôt ?

– Tu ne veux pas savoir où je les ai trouvées ?

– Hein ? De quoi tu parles ?
– Tu n'as jamais vu ces poupées, n'est-ce pas ?
Elle a fait un geste évasif, visiblement agacée.
– Non, sans doute pas.
– Parce qu'elles appartenaient à ma mère, ai-je annoncé. Elles étaient dans le fameux carton du grenier.
– Ah bon ?
Kristy a ouvert de grands yeux, subitement beaucoup plus intéressée.
Elle s'est assise sur mon lit pour en examiner une.
– Ta mère y était sûrement très attachée pour les avoir conservées ainsi.
– Je pense qu'elle les avait gardées pour moi.
– Oui, elle devait être ravie d'avoir une fille quand tu es née.
J'ai souri.
– Viens, on va faire de la couture. Leurs vêtements sont tout défraîchis.
– De la couture ? a répété Kristy, incrédule.
Elle s'est arrêtée juste avant d'ajouter : « T'es dingue ou quoi ? »
– Allez, s'il te plaît ! ai-je supplié.
– Mais je ne sais pas coudre.
– Je vais t'apprendre.
– Je ne pourrais pas regarder ce qu'il y a dans le carton, plutôt, pendant que tu couds ?
Je me suis assise sur le lit, observant le carton qui était entre Kristy et moi.

– Je… non, je ne préfère pas. C'est personnel.

Elle a rougi.

– Oui, désolée, je comprends. Hé, j'ai une idée ! Si on apportait tes poupées à Claudia ? Elle aura sûrement des idées pour leur faire de nouvelles tenues.

J'ai hésité.

– Moui, pourquoi pas.

Je n'avais pas parlé de ma découverte à Claudia. (Et surtout personne ne savait que je passais tout mon temps libre à fouiller dedans.) D'un autre côté, elle adorait peindre, dessiner, bricoler et elle était beaucoup plus douée pour ce genre de choses que Kristy et moi. Même si je n'aimais pas toujours la façon dont elle s'habillait, il fallait reconnaître qu'elle était à la mode.

J'ai regardé tour à tour le tas de vieux vêtements de mes poupées, mon ensemble blanc et rose et le jean coupé de Kristy avec son maillot de foot décoloré, puis je me suis brusquement écriée :

– D'accord, allons-y ! Mais il faut d'abord que je passe un coup de fil à mon père.

Kristy a secoué la tête.

– Je me demande quand il va finir par assouplir les règles. Tu grandis, il faudrait que ça change un peu !

J'ai soupiré :

– Pour lui, j'ai toujours trois ans… allez, peut-être six.

– Ça doit être vraiment pénible pour toi.

J'ai donc appelé mon père pour le prévenir que Kristy et moi, nous allions chez Claudia.

Nous sortions de la maison, les bras chargés de poupées, lorsque nous l'avons justement vue monter dans la voiture que conduisait sa grand-mère Mimi.

– Waouh, la tenue ! a soufflé Kristy.

Notre amie portait un pantalon noir et large, serré à la taille par un foulard et un haut multicolore qui s'arrêtait au-dessus du nombril. Heureusement, elle avait un débardeur noir en dessous. Elle avait des sandales argentées et deux barrettes en argent pour retenir ses cheveux.

– Waouh, ai-je répété. Je n'imagine pas trop mes poupées habillées comme ça.

Claudia nous a remarquées et nous a fait signe avant de s'installer à l'avant de la voiture.

– Tu vas où ? lui a crié Kristy.

– À mon stage d'arts plastiques. À plus tard !

Nous avons donc tourné les talons.

J'ai levé les yeux au ciel.

– Bon, il faut que je rappelle mon père pour lui dire qu'on reste à la maison, finalement.

Kristy m'a souri, l'air de dire : « Ma pauvre, je te plains. »

En fin d'après-midi, après m'être occupée du linge, j'ai décidé de dresser la table dans le salon plutôt que dans la cuisine. J'espérais ainsi mettre mon père dans de bonnes dispositions pour lui parler du baby-sitting. J'ai posé un bouquet de fleurs au centre, sorti les jolies serviettes et la belle vaisselle.

– Qu'est-ce qu'on fête ? s'est-il étonné en arrivant.
– J'avais envie de te faire une surprise.
– Pour marquer le début des vacances ?
– Hum… oui.
– C'est très gentil, Mary Anne.
– Le dîner est prêt, ai-je annoncé. Steaks, salade et petits pois.

Ils étaient en conserve, mais bon…

J'ai attendu que mon père ait presque fini de manger pour aborder le sujet.

– Au fait, papa, Kristy m'a proposé quelque chose hier…
– Ah, et de quoi s'agit-il ?

J'ai pris une profonde inspiration avant de me lancer :

– Elle voulait savoir si je pourrais garder les enfants Pike avec elle jeudi soir.

Mon père a reposé sa fourchette.

– Elle veut que tu fasses du baby-sitting ?
– Oui, avec elle.
– Non, Mary Anne, tu es beaucoup trop jeune.

J'ai aussitôt répliqué :

– Mais j'ai le même âge qu'elle !

Mon père s'est tu un instant avant de reprendre :

– Elle a plus d'expérience que toi, elle a déjà un petit frère.
– Mais il faut bien commencer un jour ! ai-je protesté. En plus, pour une première expérience, c'est l'idéal puisque je serai avec elle.

– Non, a répété mon père. Je sais bien que vous avez le même âge, mais le degré de maturité entre aussi en ligne de compte.

Je suis restée calme.

– Tu me trouves immature ? Mes professeurs estiment pourtant que je suis très réfléchie. Et mûre. Ils l'ont même écrit sur mon dernier bulletin, celui qu'on vient de recevoir. Tu t'en souviens ?

– C'est vrai, à l'école, tu t'es toujours montrée responsable et digne de confiance, a reconnu mon père.

– Et ce ne sont pas les qualités qu'on attend d'une baby-sitter ?

Il a dû admettre que si.

– Je vais entrer en cinquième en septembre. Kristy fait du baby-sitting, Claudia aussi. Je ne pourrais pas essayer ?

Il a réfléchi un moment pendant que je gardais la tête droite, très sûre de moi.

Au bout d'un moment, il a déclaré :

– Bon, d'accord. Tu peux faire ce baby-sitting avec Kristy à condition que tu sois rentrée à neuf heures, que tu m'appelles toutes les demi-heures…

Et ainsi de suite. Papa m'a fait toute une liste de règles à respecter.

Mais ça m'était égal. J'avais la permission de faire du baby-sitting ! Il fallait que je prévienne Kristy sur-le-champ !

3

Claudia

Ce matin-là, il faisait gris, pluvieux et il y avait du vent. Mais je m'en moquais, parce que l'un des endroits que je préfère au monde, c'est ma chambre.

Je pourrais y passer des semaines, peut-être même des mois si j'avais assez de fournitures d'arts plastiques. Et de romans policiers. Et de cochonneries à grignoter.

Le mauvais temps ne dérangeait pas non plus ma sœur aînée, car Jane le génie avait décidé de suivre des cours d'été. De son plein gré. Parce que ça lui plaît. Je vous mets au défi de trouver une autre fille de quinze ans qui a volontairement décidé de passer ses vacances enfermée à étudier. Une fois, je l'ai entendue dire : « J'ai besoin de faire des maths, c'est comme une gymnastique du cerveau. » Tant que Mimi pouvait la conduire à l'université (oui, oui, vous avez bien lu), ma sœur était contente.

Donc, en ce lundi gris de fin juin, Jane était à la fac et moi, devant mon chevalet à la maison. Avec un paquet de M&M's sous le coude. J'essayais de me concentrer sur ma peinture pour le stage d'arts plastiques, mais mes pensées dérivaient vers mon anniversaire qui approchait (dans quinze jours !).

Il fallait que je prépare la fête. Et je tenais à le faire toute seule, sans intervention extérieure – en d'autres termes sans mes parents. Je savais que mon projet risquait de ne pas vraiment leur plaire. Chaque année, j'organisais une soirée-pyjama, où j'invitais Mary Anne, Kristy et deux ou trois autres filles. Mes parents s'attendaient à ce que je fasse pareil cette fois-ci. La devise de mon père était : « Il ne faut pas perdre les bonnes habitudes. »

Mais pour mes douze ans, j'avais envie d'autre chose. Je voulais organiser une piscine-party avec des filles *et* des garçons. Nous n'avions pas de piscine, mais nos voisins les Goldman oui. Ils étaient très sympas et nous proposaient toujours de venir nous baigner. J'espérais qu'ils seraient d'accord pour que je fête mon anniversaire dans leur jardin. Ce n'était pas le plus délicat. Le plus délicat, c'était les garçons. Mes parents (et sans doute ma grand-mère et ma sœur) trouveraient sûrement bizarre que je veuille en inviter.

Je les entendais déjà :

PAPA : – Claudia, tu n'as que onze ans.

(J'avais une réponse toute trouvée : le jour de mon anniversaire, j'aurais douze ans.)

MAMAN : – Tu ne veux pas faire une soirée-pyjama, comme d'habitude ?

MOI : – Je ne vais pas faire des soirées-pyjamas toute ma vie !

(Et je me retiendrais d'ajouter : « Vous ne faites plus de soirée-pyjama pour vos anniversaires, vous ! »)

MIMI : – Es-tu bien sûre que c'est ce que tu veux, ma Claudia ?

(Ma grand-mère est toujours plus douce avec moi que les autres.)

JANE : – Je n'ai jamais fait de fête avec des garçons, moi !

(Nécessité absolue de tenir ma langue et de ne pas répliquer si je ne voulais pas tout gâcher.)

Je me sentais tellement différente des autres membres de la famille ! Je sais, on est tous différents les uns des autres. C'est ce que répètent sans arrêt les adultes, généralement pour consoler leur enfant lorsqu'il a eu une mauvaise note.

« Bah, on est tous différents, Claudia. Toi, tu es plus douée en arts plastiques… » (Voilà ce qu'avait dit la conseillère d'orientation en voyant mon dernier bulletin.)

Mais moi, je me sentais radicalement différente. Comme si je n'étais pas de la famille.

Papa, maman, Mimi et Jane étaient tous sérieux, ordonnés, appliqués, de style plutôt classique. Alors que moi, j'adorais les tenues excentriques qui leur faisaient écarquiller les yeux. Je passais mon temps à me faire de nouvelles coiffures ou à me fabriquer des bijoux pendant qu'ils travaillaient. Et ils ne comprenaient pas que je me désintéresse complètement de mes résultats scolaires (tout comme il m'était impossible de comprendre l'intérêt que Jane portait à la grammaire ou aux maths).

Donc mon projet de fête mixte au bord de la piscine au lieu d'une soirée-pyjama entre filles allait sûrement… peut-être pas les choquer – après tout, ils me fréquentaient depuis presque douze ans – mais sans doute pas vraiment les enthousiasmer.

J'ai troqué mon pinceau contre un stylo. Peu importe ce qu'ils en pensaient, j'étais décidée à inviter des garçons. J'ai commencé la liste des invités pour la montrer à mes parents. Ils constateraient alors que je préparais tout ça très sérieusement.

J'ai pris un bloc et en haut de la page j'ai noté :

LISTE D'AINVITES

Puis j'ai fait une colonne garçons (Peter, Rick, Howie, Kurt, Darnell) et une colonne filles (Dori, Emily, Polly, Kristy, Mary Anne).

J'étais en train de penser que mes deux amies étaient beaucoup moins « mûres » que les autres personnes de la liste quand Mimi a annoncé :

– Claudia ! Kristy et Mary Anne sont là.

J'ai à peine eu le temps de fourrer mon bloc dans mon tiroir avant que Kristy, toujours pleine d'énergie, ne débarque dans ma chambre. Mary Anne était juste derrière elle, les bras chargés de poupées.

– Salut ! m'ont-elles lancé en chœur.

– Salut.

– Qu'est-ce que tu fais ? m'a demandé Kristy.

J'ai désigné la toile sur mon chevalet.

Mary Anne a laissé tomber les poupées sur mon lit et s'est penchée pour regarder.

– Oooh, c'est magnifique, Claudia !

– Merci, ai-je répondu avec modestie.

J'étais assez fière de mon œuvre : il s'agissait d'un paysage imaginaire pour mon stage d'arts plastiques.

– C'est où ? s'est étonnée Kristy en regardant le petit chalet qui prenait forme au bord d'une rivière.

– Dans ma tête, ai-je expliqué.

Elle s'est mise à rire.

J'ai jeté un coup d'œil aux quatre poupées nues.

– Hum…

Je ne savais pas comment formuler ma question. J'avais très envie de crier : « Mais qu'est-ce que c'est que ça ? » En même temps, je ne voulais vexer personne.

Enfin, quand même, des filles de bientôt douze ans qui jouent à la poupée…

Finalement, en les montrant du doigt, j'ai remarqué prudemment :

– Je ne les avais jamais vues.

– C'est à Mary Anne, s'est empressée de dire Kristy. Il faut les rhabiller.

– Alors on a pensé que tu pourrais nous conseiller, a ajouté Mary Anne.

– Pour… pour les poupées ? ai-je bafouillé.

– Non, en tant que fille à la mode. Parce que leurs vieux vêtements sont…

Juste à ce moment-là, comme un hélicoptère qui vient sauver des rescapés sur une île déserte, Mimi m'a appelée à nouveau :

– Claudia ? Les filles ? Je vais en ville. Vous voulez venir avec moi ?

J'ai sauté sur l'occasion.

– Oui ! Oui, oui, je t'accompagne.

Mary Anne m'a lancé un regard que j'ai eu du mal à interpréter. Un mélange de déception et d'incompréhension.

– Je veux aller m'acheter des chaussures, me suis-je justifiée. Il me faut…

Pour être honnête, je n'avais absolument pas besoin de chaussures, puisque tout l'argent de mes baby-sittings passait dans de nouvelles paires.

– Il y a des soldes, ai-je ajouté. J'aimerais jeter un coup d'œil, au cas où il y aurait de bonnes affaires. Vous voulez venir ?

Kristy a fait la grimace.

– Très peu pour moi.

– Non merci, a renchéri Mary Anne.

– Claudia ! a insisté ma grand-mère.

– J'arrive.

Mary Anne a repris ses poupées, et en la voyant quitter ma chambre, les bras pleins, j'ai eu un pincement au cœur. Depuis quand avais-je commencé à m'éloigner de mes amies ? Ces quatre poupées symbolisaient tout ce qui nous séparait.

– On s'appelle, hein ? ai-je lancé alors qu'elles arrivaient en bas de l'escalier.

– OK, a répondu Kristy.

– Je vous appelle, ai-je promis.

Elles sont restées silencieuses.

J'étais soulagée de monter en voiture à côté de Mimi car je n'avais aucune envie de jouer à la poupée. Mais j'étais rongée de remords. Malheureusement, je ne pouvais pas revenir en arrière. De toute façon, le problème, ce n'était pas les poupées, c'était ce fossé qui s'était creusé entre nous.

– Tu ne parles pas beaucoup, Claudia, a remarqué ma grand-mère en prenant la direction du centre-ville de Stonebrook.

Mimi, ma chère Mimi… Bien qu'elle soit arrivée aux États-Unis à trente-deux ans, elle avait gardé un léger accent japonais. Elle avait beau être aussi classique et discrète que le reste de ma famille, c'était elle qui me comprenait le mieux au monde. Je lui confiais des choses que je n'aurais jamais avouées à mes parents ni à ma sœur. Ni même à Kristy et Mary Anne.

– Je réfléchissais, ai-je dit.

– Tu penses à tes amies ?

Comment avait-elle deviné ?

J'ai acquiescé.

– Tu as envie d'en parler ?

– Oui, mais… Oh, je ne sais pas !

– Tu as du mal à exprimer ce que tu ressens ? a-t-elle suggéré.

– Mmm, tout est embrouillé dans ma tête, ai-je confirmé en regardant la pluie tomber par la fenêtre.

Durant l'après-midi, le soleil est revenu. À l'heure du dîner, il faisait clair et doux.

– Et si on mangeait dehors, ce soir ? ai-je proposé à ma grand-mère.

– Bonne idée, ma Claudia. Tu n'as qu'à sortir la table de pique-nique.

C'est ce que j'ai fait. Et quand mes parents sont rentrés du travail, nous nous sommes installés dans le jardin, tandis que le soleil se couchait derrière les arbres. Jane avait passé une excellente journée à faire des statistiques et des diagrammes, quant à moi, j'étais assez contente aussi.

– Ah, ça, c'est les vacances ! ai-je proclamé en étalant ma serviette sur mes genoux alors que Mimi apportait le riz, la salade et le poulet grillé.

Ma mère m'a souri.

– Tu t'es bien amusée aujourd'hui ? Qu'est-ce que tu as fait ?

– J'ai peint, puis je suis allée en ville avec Mimi.

Je n'ai pas mentionné mon projet de fête. Ce n'était pas le bon moment.

– Et vous ? ai-je demandé.

– Le train-train, a répondu mon père, mais ça n'avait pas l'air de l'ennuyer tant que ça.

Il était passionné par son travail – dans la finance, la banque ou je ne sais quoi.

– On a eu beaucoup de monde, aujourd'hui, est intervenue ma mère.

Elle dirige la bibliothèque municipale. Elle est faite pour ce métier, elle qui adore les livres et qui est très organisée. Je savais qu'elle aurait aimé que je lui rende visite plus souvent, mais en fait, j'avais plus d'Agatha Christie que le rayon romans policiers de la bibliothèque.

Je me suis tournée vers ma sœur.

– Et toi ?

– C'était passionnant ! s'est-elle exclamée.

Et elle s'est lancée dans un discours enflammé sur les statistiques, les courbes et les diagrammes.

J'hésitais encore à parler de ma fête quand ma mère m'a devancée :

– Au fait, Claudia, je viens de me rendre compte que ton anniversaire est dans quinze jours à peine. Il va falloir commencer les préparatifs. J'allais te proposer d'envoyer des invitations, mais tu es peut-être trop grande, maintenant. Tu préfères sans doute téléphoner à tes amies.

Parfait ! C'était l'occasion ou jamais.

– Justement, en parlant de mon anniversaire, je me disais que, cette année, on pourrait changer un peu.

– Ah bon ? s'est étonnée ma mère.

Tous les regards étaient fixés sur moi.

Je tripotais nerveusement ma serviette.

– Oui, je suis un peu vieille pour une soirée-pyjama, j'avais pensé faire une piscine-party.

– Mais où ça ? On n'a pas de piscine, a signalé mon père.

J'ai désigné la maison des voisins.

– Chez les Goldman, si ça ne les dérange pas.

– Oui, ils seraient sans doute d'accord, a approuvé ma mère.

J'ai avalé ma salive avant d'ajouter :

– Et j'aimerais inviter des garçons. J'ai déjà fait la liste.

Un silence a accueilli la nouvelle. Au bout d'un moment, Jane s'est écriée :

– Quoi ? Une fête mixte ?

Elle avait l'air aussi choquée que si j'avais proposé une soirée en boîte de nuit.

– Eh bien, oui, ai-je confirmé.

– Oh, Claudia, je ne sais pas…, a murmuré ma mère, visiblement très ennuyée.

– Mais je vais avoir douze ans. Et ce serait l'après-midi, pas le soir. Et vous seriez là pour nous surveiller, papa, Mimi et toi. Et si tu veux, Jane, tu pourrais aussi inviter quelques amis. Ce serait vraiment… hum, sympa.

– Mmm…, a fait ma sœur.

– Alors les soirées entre filles, ça ne te dit plus rien ? s'est étonnée ma mère, toute triste.

– Non, je pourrais en refaire à un autre moment, mais j'avais envie de changer, pour mon anniversaire.

– Oui, je trouve que c'est une bonne idée, est intervenue Mimi.

– C'est vrai ?

Finalement, ça se passait mieux que je ne le craignais.

– On dirait que tu y as mûrement réfléchi, a remarqué maman.

Mon père a hoché la tête.

– Mais il faut en premier lieu qu'on en parle aux Goldman.

– Oui, on peut organiser la fête quand ça les arrange, pas forcément le jour de mon anniversaire.

Et voilà comment mes parents ont accepté que je fasse une piscine-party avec des garçons et des filles pour fêter mes douze ans. J'avais toujours l'impression d'être un éléphant dans une famille de souris, mais j'ai chassé cette pensée de mon esprit. Ainsi que mes soucis avec Kristy et Mary Anne pour me concentrer sur les préparatifs de la fête.

4

Lucy

De ma fenêtre, je voyais la cime des arbres. Et pourtant, j'habitais à New York. La plupart des gens qui ne vivent pas en ville s'imaginent qu'il n'y a pas un brin d'herbe, mais c'est faux. Ma chambre donnait sur Central Park, un parc immense et verdoyant.

Bon, d'accord, ce n'est pas pareil que d'avoir un jardin, mais quand même. Dans mon immense appartement au beau milieu de l'une des plus grandes villes du monde, je m'estimais heureuse d'avoir cette vue. Et je m'en réjouissais chaque jour.

Je me réjouissais du moindre petit détail, à vrai dire, à cause de ce qui m'était arrivé au cours de mon année de sixième.

Debout à ma fenêtre, j'admirais le parc. J'apercevais aussi la rue, les taxis jaunes et même la bouche de métro. Et si j'avais ouvert la fenêtre, j'aurais entendu les Klaxon, les sirènes de pompiers et le vacarme des camions-poubelles. Mais là, je ne distinguais que le doux ronronnement de la climatisation. Car fin juin, il fait parfois très chaud à New York.

J'avais toujours vécu à la « Grosse Pomme », comme on la surnomme. Et j'étais triste de partir. En revanche, j'étais bien contente de quitter certaines personnes de ma classe comme la reine des pestes, j'ai nommé Laine Cummings.

Je ne comprenais pas trop pourquoi tout avait si mal tourné, mais je me doutais bien que mon diabète n'était pas l'unique raison. Juste un symptôme – c'est assez ironique, qu'une maladie soit le symptôme d'un problème qui n'a rien de médical. J'aurais pourtant préféré croire que c'était à cause de ma maladie que j'avais perdu ma meilleure amie. Que Laine m'avait laissée tomber comme une vieille chaussette. Ça m'aurait fait moins de peine.

Et, après une année calamiteuse entre le diabète et la reine des pestes, voilà que mes parents avaient décidé de déménager. Nous quittions New York pour une petite ville dont je n'avais jamais entendu parler. Stonebrook, dans le Connecticut.

Qu'allais-je faire loin des gratte-ciel, des cinémas, des grands magasins, des milliers de restaurants ? En même temps, c'était l'occasion de tout recommencer de zéro. Avec un peu de chance, je tomberais sur des filles plus sympas que Laine Cummings.

– Lucy ? m'a appelée ma mère. Viens prendre ton petit déjeuner.

J'ai soupiré. Je n'avais pas faim, mais je n'avais pas le choix. À cause du diabète, je savais ce qui arriverait si je sautais un repas. Je me suis donc rendue dans notre petite cuisine.

– Bonjour, ma puce. Je t'ai préparé un œuf et des saucisses.

(Œuf bio et saucisses au tofu, bien sûr.)

– Merci, maman.

J'ai emporté mon assiette jusqu'à la table de la salle à manger. Une longue journée m'attendait. Papa travaillait et maman s'occuperait sans doute du déménagement. Il y avait tant de choses à régler d'ici au mois d'août. Il fallait mettre en cartons l'appartement entier. Et même en emportant tout, jusqu'aux chaussettes trouées et aux verres ébréchés, notre nouvelle maison ne serait pas remplie. Maman s'était donc lancée à la recherche de nouveaux meubles et de choses qui n'étaient d'aucune utilité à New York, comme des pelles à neige et une tondeuse à gazon. Elle avait également décidé que c'était le moment de se débarrasser des vieux trucs dont nous n'avions plus besoin (les chaussettes trouées et les verres ébréchés). En d'autres mots, elle s'était lancée dans un grand rangement.

Bref, l'été s'annonçait moyennement palpitant pour moi.

Une fois mon petit déjeuner avalé, j'ai arpenté l'appartement silencieux pendant une ou deux minutes avant d'annoncer :

– Je sors, maman.

– D'accord.

Elle était plantée devant l'armoire, essayant de faire le tri entre ce qu'on allait emporter et ce qu'on allait jeter.

– À tout à l'heure !

C'était drôle. En ce qui concerne mon diabète et ma santé, maman me surveillait comme si j'avais à peine deux ans. Mais pour le reste, j'avais toute liberté. J'avais le droit de me promener toute seule dans le quartier et même de prendre le métro ou un taxi, du moment que je la prévenais.

J'ai donc appelé l'ascenseur. Je m'étais habituée à être souvent seule. Plus de goûter chez les copines après les cours. Plus de virée shopping avec Laine. J'allais au cinéma seule, je me baladais dans les magasins seule et je faisais mes devoirs seule.

Dans le hall d'entrée, le portier m'a saluée.

– Bonjour, Lucy !

Il me connaissait depuis mes trois ans, date à laquelle nous avions quitté Greenwich Village pour emménager dans cet immeuble. Et ces derniers temps, c'était à lui que je parlais le plus !

– Il fait chaud, m'a-t-il avertie.

J'ai senti une bouffée d'air brûlant lorsqu'il m'a ouvert la porte.

– En effet ! Tu veux que je te rapporte quelque chose ? ai-je proposé. Un café ?

Il a souri.

– Non merci, c'est gentil.

Je n'avais donc absolument rien à faire de la journée. C'était maintenant officiel.

J'ai longé l'avenue, en léchant les vitrines. J'ai regardé ce qui était à l'affiche du cinéma du coin. Finalement, j'ai poussé jusqu'à Riverside Park et, sur un banc, j'ai observé les gens autour de moi. Un vieux couple, assis à l'autre bout, partageait une brioche en discutant. Un groupe de petits marchait en rang deux par deux en chantant *Un kilomètre à pied*. Trois filles de mon âge se promenaient bras dessus bras dessous. Elles ont interpellé une bande de garçons qui jouaient au foot. J'avais beau ne pas les connaître, j'ai senti mon cœur se serrer.

L'été précédent, avant d'entrer en sixième, j'aurais été en train de pouffer avec Laine et deux ou trois autres copines, comme elles. On se retrouvait au parc pour rigoler, bavarder, se confier nos secrets. On était comme des sœurs, ce que j'appréciais particulièrement, moi qui suis fille unique. Mon téléphone n'arrêtait pas de sonner, j'enchaînais les sorties, les invitations, les fêtes.

Mais tout avait changé presque dès l'entrée au collège, juste *avant* que je ne tombe malade. Laine avait passé le mois d'août en colo dans le Maine et, en revenant, elle n'était plus la même. Ma meilleure amie Laine Cummings allait devenir la reine des pestes.

Que je vous explique : ses parents et les miens étaient amis, et avant de savoir dire « areuh areuh »,

Laine et moi, nous étions déjà inséparables. Évidemment, ils étaient ravis que leurs filles s'entendent si bien, mais quand ça s'est gâté entre nous, la situation est devenue un peu plus délicate. Alors qu'on ne se parlait plus, nos parents continuaient à s'appeler, à dîner et à sortir ensemble.

Laine a changé progressivement, c'est apparu petit à petit, un peu comme mon diabète. Elle est revenue de colo une semaine avant la rentrée. Je pensais qu'elle me téléphonerait à peine la porte de son appartement franchie. J'avais envie qu'elle me raconte tout – ses copines, les animateurs, les veillées… et les histoires de garçons. Moi qui n'étais jamais partie en colo, ça m'intéressait beaucoup.

Mme Cummings avait dit à maman que le car déposerait Laine devant chez elle à trois heures et demie cet après-midi-là. Alors, à trois heures vingt-cinq, je me suis plantée devant le téléphone en attendant qu'il sonne. À quatre heures moins vingt-cinq, je me suis dit que ses affaires devaient être tellement sales que sa mère lui avait sûrement demandé de vider son sac d'abord. Mais à quatre heures, je n'avais toujours pas de nouvelles de ma meilleure amie. Finalement, bien après le dîner, je me suis décidée à l'appeler. J'étais inquiète, je pensais qu'elle était malade.

– Laine, ça va ? me suis-je écriée lorsqu'elle a décroché. Tout va bien ?

– Salut, Lucy. Bien sûr que oui. Qu'est-ce qui te prend ?

– Ah… je… je… j'ai cru… comme tu ne m'avais pas téléphoné…

– Hé, ça fait à peine quatre heures que je suis rentrée ! a-t-elle répliqué.

Et pour la première fois, j'ai senti dans sa voix une note de… je ne sais pas, mais son ton n'était pas gentil-gentil.

Nous avons quand même discuté comme d'habitude et elle m'a enfin raconté sa colo en détail. Puis j'ai raccroché, convaincue que je m'étais fait du souci pour rien. En revanche, le lendemain, aucune nouvelle. Autrefois, on se serait appelées dès le matin pour se voir. Mais quelque chose me disait que si je lui téléphonais à nouveau, ça l'agacerait.

J'ai tenu bon et je ne l'ai pas appelée avant le surlendemain. Au téléphone, Laine a paru surprise et, effectivement, un peu agacée. Oui, agacée, Laine, celle que je considérais comme ma sœur !

– Écoute, Lucy, il ne reste pas beaucoup de temps avant la rentrée et j'ai une tonne de choses à faire.

J'ignorais ce qu'elle entendait par là, mais comme on avait l'habitude de tout faire ensemble, j'ai proposé :

– OK, super. Moi aussi, ça tombe bien. On va dans les magasins ?

Il y a eu un silence, puis elle m'a annoncé :

– J'ai prévu une virée shopping avec Kelly.

– Génial. On se retrouve où ?

– Euh, on n'a pas encore fixé d'heure.

Pas besoin de vous répéter toute la conversation, j'imagine. Vous avez compris. Voilà comment a commencé mon année de sixième. Laine ne m'a pas vraiment fait de « mauvais coup ». En réalité, c'était plutôt ce qu'elle ne faisait pas qui me blessait : elle ne m'appelait pratiquement plus, elle ne me gardait plus de place en cours ou à la cantine, elle ne venait plus faire ses devoirs avec moi. Et les autres filles non plus. Je me retrouvais toute seule. Pourquoi ? Qu'est-ce que j'avais fait pour mériter ça ?

Pour couronner le tout, j'ai commencé à me sentir patraque, et, peu après, on m'a diagnostiqué du diabète. Mon corps n'assimilait plus le sucre correctement et, si ça continuait, je risquais de tomber gravement malade. Heureusement, même dans les cas graves comme le mien, le diabète se contrôle grâce à un régime alimentaire strict, de l'exercice et des injections d'insuline. Mais les débuts ont été difficiles, j'ai souvent dû aller à l'hôpital, et mes parents étaient complètement paniqués.

Peu de temps avant, ils avaient appris qu'ils ne pourraient plus avoir d'enfants. Du coup, ils étaient encore plus inquiets à mon sujet. Je ne les reconnaissais plus : ils supervisaient non seulement mes repas, mes rendez-vous chez le médecin, mais également ma vie tout entière. Et, allez savoir pourquoi, ils avaient décidé qu'il valait mieux ne parler à personne de ma maladie. Je sais qu'ils voulaient bien faire, mais franchement, c'était idiot. Quand Freda Staples, une fille d'une autre classe, a eu une leucémie, ses parents sont venus expliquer à ses camarades ce qui lui arrivait. Du coup, les élèves se sont mobilisés pour l'aider à vivre tout ça au mieux.

Mes parents ne voyaient pas du tout les choses sous cet angle. Ils m'ont conseillée de ne le dire à personne pour que les gens ne changent pas d'attitude envers moi. Erreur. C'était une très très mauvaise idée. Surtout que j'ai fait de nombreux allers-retours à l'infirmerie et que je suis tombée plusieurs fois dans les pommes au collège. Le pire, c'est quand à une soirée-pyjama, j'ai dormi avec Laine et que j'ai fait pipi au lit – ça m'arrivait parfois, au début, à cause du diabète. Déjà que Laine n'était pas très sympa avec moi… comme vous l'imaginez, ça n'a pas amélioré nos relations. En fait, c'était le début de la fin.

Et voilà pourquoi, en juin, nous étions officiellement ennemies. J'étais ravie de quitter New York parce que j'en avais assez de passer ma vie toute seule. Franchement, ça ne pourrait pas être pire à Stonebrook.

Après avoir regardé les filles ricaner et les gens défiler dans le parc pendant quelques minutes encore, je suis rentrée à la maison. L'après-midi n'en finissait pas. J'ai aidé maman à vider la cave. À la fin, elle s'est essuyé les mains sur son jean en décrétant :

– Mission accomplie ! On a bien travaillé. On va proposer à ton père de nous retrouver chez *Sal* pour dîner, ça te dit ?

– Chouette !

C'était un restaurant tout près de chez nous où nous allions souvent. Ce serait plus sympa que de passer la soirée toute seule dans ma chambre.

À sept heures et demie, maman et moi, nous étions installées à notre table, en train de nous disputer au sujet de mon régime, comme d'habitude. Je voulais prendre une limonade normale alors qu'elle tenait à ce que je commande un soda light. Lorsque le serveur est arrivé avec son carnet, elle a annoncé :

– Un kir pour moi et un soda light pour ma fille.

– Maman ! ai-je protesté.

– C'est un soda light ou rien. Fin de la discussion.

– Je ne suis plus un bébé !

– Alors comporte-toi en adulte. Une limonade, c'est trop sucré.

J'ai boudé pendant quelques minutes, puis j'ai retrouvé ma bonne humeur lorsque mon père est arrivé. Hélas, ça n'a pas duré longtemps. Il sirotait tranquillement son cocktail quand, soudain, il a agité la main en direction de la porte.

En me retournant, j'ai découvert Laine et ses parents qui entraient dans le restaurant.

J'ai plongé le nez dans mon assiette en gémissant.

– Bonjour, tout le monde ! a lancé Mme Cummings.

Les adultes ont bien vu que, Laine et moi, on se saluait du bout des lèvres, mais ils n'ont fait aucun commentaire. Un an plus tôt, papa et maman leur auraient proposé de se joindre à nous, mais ils se sont contentés d'échanger des haussements d'épaules navrés, puis les parents de Laine sont partis s'installer à l'autre bout de la salle. Je sais qu'ils espéraient qu'on se réconcilie avant le déménagement, mais tant que la reine des pestes me toisait du haut de son trône, ça ne risquait pas d'arriver.

Vingt minutes plus tard, pendant que papa réglait la note, maman m'a traînée jusqu'à la table des Cummings. Elle a discuté un moment avec la mère de Laine, en nous jetant des regards en biais, puis soudain elle s'est exclamée en souriant :

– Excellente idée ! Je t'appelle demain pour mettre ça au point.

J'ai attendu d'être dehors pour lui demander :

– C'est quoi, votre idée ?

Ma mère a pris un air innocent.

– Hein ? Oh, rien, a-t-elle marmonné. Un dîner de charité pour… pour l'Union des dentistes.

Je n'ai pas insisté. Mais je sentais une menace peser sur moi, comme si j'étais sur le quai du métro et que quelqu'un s'approchait dans mon dos pour me pousser dans le vide.

5
Kristy

« Inconnu à cette adresse ».

Je fixais ces mots accusateurs, imprimés à l'encre rouge sur mon enveloppe blanche si soigneusement préparée.

Rapportée à mon père, l'expression n'était pas franchement flatteuse. Il n'était qu'un inconnu. Un anonyme. Quelqu'un dont on n'avait jamais entendu parler.

Les services de la poste avaient tamponné mon courrier sans ménagement avant de me le renvoyer. Je l'avais retrouvé au milieu du tas que je venais de sortir de la boîte. J'avais eu beau rédiger une jolie lettre à mon père, m'appliquer pour écrire l'adresse, avoir pensé à coller un timbre dans le coin, il ne l'avait pas reçue. Et en voyant ce « Inconnu à cette adresse » en rouge, j'avais honte.

Il avait dû déménager, ce n'était pas ma faute. Mais pourquoi… pourquoi avais-je donc un père qui ne tenait pas en place ? Pourquoi le simple fait de lui écrire était-il si compliqué ?

J'ai glissé l'enveloppe dans la poche arrière de mon short en me disant que papa savait comment me joindre au cas où il en aurait envie. Avec maman, ils devaient bien être en contact. Le pire, ç'aurait été que mon père reçoive la lettre et me la renvoie sans même l'avoir ouverte. Ça n'était pas le cas. Il ne savait même pas que je lui avais écrit.

Et ça ne me consolait guère. Je me sentais aussi raplapla qu'un ballon dégonflé.

– C'est quoi, Kristy ?

Depuis le perron, David Michael me regardait d'un œil soupçonneux traverser la pelouse avec Foxy sur les talons.

– Comment ça ?

– Ce que tu viens de cacher dans ta poche.

– Pourquoi ? Tu es de la police ?

Mon frère a souri.

– Ouais ! Bonne idée. Je pourrais jouer à mener l'enquête. Et tu serais mon premier mystère à résoudre. Alors, qu'est-ce que tu as fourré dans ta poche ?

J'ai ri.

– Tu es tenace. C'est une qualité quand on est détective.

– Merci, alors, c'est quoi ?

– Un truc personnel.

– Mais quoi ?

– Si je te le dis, ça n'est plus personnel.

– Oui, mais un bon détective..., a-t-il protesté.

Par chance, juste à ce moment-là, j'ai vu Mary Anne sortir sur son perron. Elle nous a fait signe.

– Salut ! ai-je lancé en coupant mon frère dans son élan.

Toute de jaune et blanc vêtue, avec rubans assortis au bout des nattes, elle est venue s'asseoir sur les marches entre nous. Foxy a posé la tête sur ses genoux.

– Kristy, si quelqu'un tombe dans les escaliers…, a-t-elle commencé.

– Qui ça ?

– Eh bien, disons, une petite fille de quatre ans…

– Tu veux parler de Claire Pike ?

– Hum…

– Mary Anne, il n'arrivera rien pendant notre baby-sitting, promis.

– Comment peux-tu me le promettre ? Tu n'en sais rien. Tout peut arriver.

La dernière fois que je l'avais eue au téléphone, elle m'avait demandé si je savais quoi faire au cas où un détecteur de fumée se déclencherait.

– Tu connais le protocole à suivre ?

Je vous assure, elle avait employé le mot « protocole ».

Et la veille elle m'avait demandé :

– Et si, pendant qu'on garde les enfants, on entend un drôle de bruit ? Dehors ? En pleine nuit ?

Je me suis concentrée sur sa dernière question.

– Évidemment, je ne peux pas être à cent pour cent certaine de ce qui va se passer, mais j'ai gardé David Michael des milliers de fois et…

– Tu exagères, pas vraiment des milliers, est intervenu mon frère.

– … et rien de grave ne lui est jamais arrivé, ai-je conclu.

– Si ! Je me suis écorché le genou, une fois ! a-t-il corrigé.

– Mais que ferais-tu si quelqu'un tombait dans les escaliers ? a insisté mon amie.

– Ça dépend de son état.

– Une fois, j'ai dévalé les marches, mais arrivé en bas, je me suis simplement relevé sans une égratignure, a affirmé mon frère.

– Les escaliers étaient recouverts de moquette et il n'a raté que trois marches, ai-je précisé. Tu vois, on ne peut jamais savoir. Mais, de toute façon, je ne vois pas pourquoi ça se produirait pendant notre baby-sitting.

– Et pourquoi pas ? a répliqué Mary Anne.

J'ai soupiré.

J'étais contente que son père l'ait autorisée à m'accompagner, mais ses questions commençaient à m'inquiéter. Et à m'agacer. J'allais lui conseiller de se concentrer sur des aspects plus positifs – comme les activités que nous allions proposer aux enfants le lendemain – quand elle s'est penchée dans mon dos en demandant :

– Qu'est-ce que c'est que ça ?

– Pourquoi tout le monde s'intéresse à ma poche aujourd'hui ? ai-je rétorqué d'un ton mauvais.

– Parce qu'il y a quelque chose dedans et que tu ne veux pas nous le montrer ! s'est exclamé David Michael.

Pour changer de sujet, je me suis écriée :

– Hé, vous savez ce qu'on va faire, ce soir ?

– Non, quoi ?

– Quand il fera nuit, on va s'asseoir dans le jardin pour regarder les étoiles filantes. Tous ensemble. Maman, Charlie, Sam, David Michael et moi. Cool, hein ?

Un instant, j'ai hésité à proposer à mon amie de se joindre à nous, mais j'avais trop envie de passer une soirée en famille.

– Ooh, excellente idée ! s'est-elle enthousiasmée. J'en ai vu une l'autre soir. Superbe, avec une longue queue brillante. Elle est passée si vite que j'ai cru rêver.

– Oh, oui, c'est magique, a confirmé rêveusement mon frère.

Puis il a tout gâché en glissant subrepticement sa main dans ma poche pour tenter de me voler ma lettre.

Je l'ai repoussé.

– On va faire une surprise à maman, ai-je annoncé. On va préparer le dîner comme ça on pourra pique-niquer avant de regarder les étoiles filantes.

– Super ! s'est exclamé mon frère.

Lorsque les autres sont rentrés, on avait recouvert la table de jardin d'une nappe à carreaux bleus et blancs et mis le couvert avec la vaisselle en plastique décorée de coquillages et d'hippocampes – ça faisait très vacances. J'étais dans la cuisine en train de sortir les steaks pour les hamburgers.

– Tu veux bien t'occuper du barbecue ? ai-je proposé à mon frère Charlie. Et quelqu'un pourrait faire une salade…

Ma mère a haussé un sourcil.

– Quelqu'un ?

J'ai rougi.

– Ben oui, pas moi, quoi.

– D'accord, je m'en charge, a répondu maman en riant. Pendant ce temps, tu peux rajouter un couvert, s'il te plaît ?

– Encore ? Mais il y a déjà cinq assiettes, me suis-je étonnée en jetant un coup d'œil par la fenêtre pour recompter.

– Jim vient dîner.

– Jim ?

Brusquement, je n'avais plus faim du tout.

– On devait passer la soirée en famille. Et il ne fait pas partie de la famille, ai-je murmuré en la fusillant du regard.

– Je n'ai jamais dit qu'il en faisait partie, s'est-elle défendue.

David Michael a battu des mains.

– Pourtant, ce serait chouette !

– Kristy, rajoute un couvert, s'il te plaît, a tranché ma mère d'un ton sec.

Sans un mot, j'ai filé dans ma chambre comme une furie. En entendant le bruit d'un moteur, je me suis approchée de la fenêtre, à l'abri du rideau. Jim est sorti d'une voiture flambant neuve. Profitant du fait qu'il ne pouvait pas me voir, je lui ai fait une affreuse grimace avant de me laisser tomber sur mon lit.

– Kristy ? a crié ma mère quelques minutes plus tard.

– QUOI ?

– Jim est arrivé. Tu descends, s'il te plaît ?

J'ai décidé de ne pas lui répondre, mais j'ai obéi quand même. Jim était assis dans la cuisine avec David Michael. J'ai noté avec une certaine satisfaction que son crâne se dégarnissait. Maman ne tomberait jamais amoureuse d'un vieux type chauve, me suis-je rassurée. Même si je savais parfaitement qu'il n'était pas vieux, il devait avoir son âge.

En l'observant depuis le seuil de la cuisine, j'ai essayé d'établir une liste de ses qualités et ses défauts. D'accord, il s'occupait bien de Karen et d'Andrew. Il les accueillait chez lui un week-end sur deux et il assistait à toutes les fêtes d'école et réunions parents-professeurs (selon ma mère). Mais d'un autre côté, ce n'était qu'un gros snob qui étalait son argent pour se faire mousser. En plus, il ressemblait à Charlie Brown avec son gros crâne chauve. Et il sortait avec ma mère. Et il avait rapporté un carton de la pâtisserie la plus chic de Stonebrook. Et il était en train d'expliquer les règles du base-ball à mon petit frère qui l'écoutait, fasciné.

En levant la tête, Jim m'a aperçue.

– Salut, Kristy ! Alors, prête pour la soirée étoiles filantes ?

Sa gaieté forcée, son ton faussement sympa, tout m'agaçait chez lui.

J'ai haussé les épaules.

Maman est revenue en courant dans la maison après avoir posé la salade sur la table. Et ajouté un couvert.

– Le dîner est prêt ! a-t-elle annoncé.

Jim est sorti le premier, son carton de gâteaux à la main.

Il a pris place à une extrémité du banc et je me suis installée à l'autre bout, du même côté, pour ne pas le voir. Charlie s'est assis près de moi, maman en face de Jim et mes deux autres frères se sont tassés à côté d'elle.

Jim a attendu que tout le monde soit en train de se régaler pour annoncer :

– J'ai pensé à quelque chose…

« Ah oui, ça t'arrive ? » ai-je répliqué dans ma tête.

– Samedi prochain, j'aurais besoin de faire garder Karen et Andrew. Je me demandais si tu étais disponible, Kristy.

Je n'ai pas hésité une seule seconde :

– Non.

– Kristy…, a fait ma mère, menaçante.

– Quoi ? ai-je rétorqué en lui adressant mon plus beau sourire.

Elle a secoué la tête.

– Hum…, a toussoté Jim. Tu n'es pas libre ou tu n'as pas envie ?

J'ai mordu dans mon hamburger avant de répondre, la bouche pleine :

– Ch'ai pas envie.

– Kristy ! a répété ma mère en haussant le ton.

Charlie est alors intervenu :

– Moi, je veux bien les garder.

– C'est vrai ? s'est étonné Jim, ravi.

– T'es sérieux ? ai-je crié.

– On va bien s'amuser, a affirmé mon frère en rajoutant de la moutarde dans son hot-dog. Tu sais, j'ai déjà fait du baby-sitting.

Comme si c'était le problème.

– Eh bien, parfait, a conclu Jim. Karen et Andrew ont hâte de faire votre connaissance. À tous, a-t-il précisé en jetant un regard circulaire.

J'ai détourné la tête. Pour la deuxième fois de la journée, j'avais honte.

Après le dessert (j'ai dit que je n'avais pas faim, me privant des gâteaux visiblement délicieux que Jim avait apportés) et après avoir débarrassé la table, nous avons installé six chaises longues dans le jardin. Nous nous sommes assis dans le noir, les yeux levés vers le ciel. Petit à petit, les étoiles sont apparues dans la nuit. Puis la lune s'est levée à son tour et, soudain, en tendant le bras, Charlie s'est exclamé :

– En voilà une !

J'ai juste eu le temps d'apercevoir une traînée brillante, si rapide, effectivement, que je n'étais pas sûre de l'avoir vraiment vue. Mais il y en a eu une deuxième quelques minutes plus tard, et une troisième.

Confortablement allongée dans mon transat, par cette nuit magique, j'aurais dû penser aux mystères de l'univers, des planètes et de la science. Me dire que les étoiles étaient si loin et les humains si petits sur la Terre…

Mais, à la place, je ruminais. Jim semblait un père parfait pour Karen et Andrew. Et il était venu chez nous passer une soirée en famille, le jour même où la lettre que j'avais envoyée à mon père m'était revenue, tout ça parce qu'il était… disons, moins parfait.

Jim m'avait gâché ma soirée.

6

Mary Anne

– Mary Anne ? Tu trembles ?

Kristy m'a regardée en fronçant les sourcils alors que nous poussions le portail des Pike.

– Non, non.

J'essayais en vain de me contrôler.

– Écoute, une bonne baby-sitter doit savoir s'imposer. Il ne faut pas laisser les enfants prendre les commandes.

En atteignant le perron, j'ai jeté un dernier regard en arrière : le soleil était en train de se coucher au bout de la rue. J'ai pris une profonde inspiration avant de consulter ma montre. Nous étions pile à l'heure. Très pros. Ce qui prouvait que j'étais digne de confiance et consciencieuse. Ça m'a rassurée. Hélas, j'ai aussitôt repensé aux cambrioleurs, à l'alarme incendie et aux chutes dans les escaliers…

Kristy a appuyé sur la sonnette.

De l'autre côté de la porte a résonné un concert de « J'y vais », « Non, c'est moi ! », « Laisse-moi passer ! », « Allez, s'il te plaît ! »…

Enfin, la porte s'est ouverte en grand sur Mallory, l'aînée des Pike. Elle a haussé les épaules d'un air d'excuse. Dans son dos, ses frères et sœurs se bousculaient pour nous voir.

– Salut, tout le monde ! a lancé Kristy en se faufilant à l'intérieur. Vous connaissez Mary Anne Cook, pas vrai ?

J'ai fait un signe de la main.

– Salut !

Mme Pike est intervenue :

– Les enfants, les enfants ! Laissez entrer Kristy et Mary Anne, enfin !

Les huit petits Pike se sont écartés et nous avons pu pénétrer dans la cuisine.

Huit paires d'yeux m'ont suivie. Du haut de ses quatre ans, Claire était la plus jeune. Puis venait Margot, six ans ; Nicky, sept ; Vanessa, huit ; les triplés – Byron, Adam et Jordan – qui avaient neuf ans ; et enfin Mallory, dix ans. Quelle foule !

– Merci d'être venues, a dit Mme Pike. Mon mari et moi, nous serons de retour vers vingt heures trente. Il y a de la charcuterie dans le frigo si vous voulez manger des sandwiches pour le dîner. Sinon, vous pouvez aussi faire des pâtes au gruyère. Il y a du lait, du jus de fruit, bref...

Elle a esquissé un geste vague de la main. Kristy m'avait prévenue qu'elle n'était pas très stricte.

– Madame Pike, suis-je intervenue en me redressant de toute ma taille, pouvez-vous nous montrer où sont les numéros d'urgence ?

Elle a désigné un panneau de liège où était punaisée une liste de numéros, du pédiatre jusqu'au centre antipoison.

Parfait.

– Merci, ai-je dit.

M. Pike a descendu les escaliers d'un pas pressé, et, cinq minutes plus tard, ils étaient partis.

Kristy et moi, nous étions toutes seules.

Avec huit enfants.

J'ai tout de suite vu que mon amie était une super baby-sitter.

– Mallory, a-t-elle dit, étant donné que tu es l'aînée et que Mary Anne et moi, nous allons avoir besoin d'aide ce soir, je te nomme assistante baby-sitter.

Celle-ci, qui se tenait un peu à l'écart, l'air mal à l'aise (après tout, elle a seulement deux ans de moins que nous), a souri.

– C'est vrai ?

– Et comment ! a répondu Kristy. Nous allons commencer par dîner, comme ça, ensuite, nous pourrons jouer jusqu'au retour de vos parents.

– On ne va pas se coucher ? s'est étonné Nicky.

Un de ses frères – Adam ou Byron – lui a donné un coup de coude dans les côtes en murmurant :

– Pas besoin de lui rappeler !

– Mais non, pas tout de suite, c'est les vacances ! s'est exclamée Kristy. Et puis vos parents seront rentrés à temps pour vous mettre au lit. En attendant, on va bien s'amuser.

– Génial ! a fait Margot. Tu veux voir mes nouvelles chaussures ? Y a des paillettes roses dessus.

– Oh oui, tu vas me les montrer, mais d'abord, on va manger. Qu'est-ce que vous voulez pour le dîner ?

– Un sandwich, a répondu Byron.

– Chandouich. (C'était Claire.)

– Des pâtes. (Nicky.)

– Des cookies. (Margot.)

– Du poulet. (Adam.)

– Un steak. (Jordan.)

– Il y a des glaces ? a demandé Vanessa.

– On va faire au plus simple, a décidé Mallory.

– On pourrait préparer un buffet froid ? ai-je suggéré.

Kristy m'a fait un clin d'œil.

– Excellente idée, Mary Anne.

Alors on a sorti tout ce qu'il fallait du réfrigérateur et du placard : pain, beurre, charcuterie, mayonnaise, moutarde, cornichons, olives, yaourts, jus de pomme, lait et plusieurs boîtes en plastique et paquets enveloppés dans de l'alu à l'aspect mystérieux. Kristy les a disposés sur le bar pendant que Mallory et moi on s'occupait du couvert.

– Bien, allons-y ! a décrété Kristy.

Elle a tendu une assiette à chacun en ordonnant aux enfants de se mettre en file indienne. Elle a immédiatement et fort habilement coupé court à la bagarre pour passer en premier en annonçant qu'il y aurait des bonbons pour le dessert à l'unique et seule condition que tout le monde soit sage.

Je l'ai regardée faire, épatée… Je me sentais un peu inutile à vrai dire. Jusqu'à ce que Nicky me demande de l'aide pour ouvrir la bouteille de jus, que je doive étaler de la mayonnaise sur le « chandouich » de Claire et convaincre Margot de manger un dîner équilibré, pas seulement composé de cookies. J'ai vite dû me transformer en pieuvre baby-sitter tournant les couvercles, découpant le jambon, réparant les accidents et essuyant le contenu des verres renversés.

Une fois tout ce petit monde assis à table devant son étrange assiette (Vanessa, par exemple, avait décidé de manger des céréales et une tranche de dinde), j'ai eu l'impression d'avoir plutôt bien géré la situation. J'ai regardé Kristy en souriant.

À l'autre bout de la table, l'un des triplés (j'allais devoir trouver un truc pour les différencier) a fourré une tranche de saucisson dans sa bouche avant de proposer :

– Si on jouait à *Ainsi de suite* ?

– C'est quoi ? s'est étonnée Kristy.

– Un jeu très amusant, est intervenue Mallory. Le premier joueur choisit une catégorie…

– En général, on prend la nourriture ou les animaux, a ajouté un autre triplé.

– … et cite un nom appartenant à cette catégorie. Comme un lion.

– Si on joue avec les animaux, a précisé Nicky.

– Le suivant doit trouver un animal qui commence par la dernière lettre de ce mot. Donc dans ce cas, par un N. Et ainsi de suite, on fait le tour de la table.

– On ne peut pas citer deux fois le même animal, est intervenue Vanessa. Et quand on ne trouve pas, on est éliminé. Le dernier qui reste a gagné.

– C'est plus difficile qu'il n'y paraît, a assuré Mallory.

Comme je ne voyais pas trop pourquoi, j'ai déclaré avec enthousiasme :

– Eh bien, allons-y, ça a l'air très amusant. Si tu commençais, Claire ?

– D'accord, mais je gagne jamais, a-t-elle murmuré, les larmes aux yeux.

– Et pourquoi donc ?

Elle m'a lancé un regard noir.

– Parce que je sais pas lire et écrire.

Oh, oh. Première erreur de la plus nulle des baby-sitters : proposer un jeu de lettres à une gamine de quatre ans.

Je ne me suis pas laissé démonter.

– C'est vrai, alors on va faire équipe toutes les deux, qu'est-ce que tu en dis ?

– Ça marche ! a-t-elle acquiescé, ravie.

Puis Kristy a demandé avec beaucoup de diplomatie – c'est-à-dire sans regarder Margot avec trop d'insistance :

– Quelqu'un voudrait faire équipe avec moi ?

– Oui, moi ! s'est écriée la petite.

L'affaire était donc réglée.

Je me suis tournée vers Claire.

– Alors tu commences. Choisis un animal.

– Un chat !

Elle a regardé Vanessa, qui était assise à sa droite.

– Une taupe !

Le joueur suivant, Nicky, a froncé les sourcils en protestant :

– Voilà ! C'est le problème avec ce jeu idiot.

– Qu'est-ce qu'il y a ? me suis-je inquiétée.

Comme son frère scrutait son assiette sans répondre, Mallory a expliqué :

– Le problème, c'est qu'il y a des tas de mots qui finissent par un E…

– Comme taupe, a marmonné Nicky.

– … et qu'on a du mal à en trouver qui commencent par un E, a-t-elle complété. Mais tu exagères, Nicky, tu es le premier. Il y a un animal très connu qui commence par un E.

– Ouais, trop facile, a dit l'un des triplés en levant les yeux au ciel.

Nicky a retrouvé le sourire.

– Un éléphant !

– Un tapir, a enchaîné un triplé.

– Un rhinocéros, a fait l'autre.

Margot a regardé Kristy d'un air interrogateur en suggérant :

– Un cerf ?

Ses frères se sont tordus de rire. Kristy les a ignorés.

– Bien essayé, Margot. On entend le son S, mais en réalité, « cerf » s'écrit avec C. Il nous faut un animal qui commence par un S.

– Une souris, a proposé la fillette.

– Bravo !

Le jeu a continué pendant quelques minutes, mais nous nous sommes assez vite retrouvés bloqués par le problème du E. Surtout après avoir épuisé « élan » et « émeu ». Nous avons été éliminés un à un, puis Byron (si c'était bien lui) a failli sécher sur la lettre N et a triomphé de manière spectaculaire en s'écriant :

– Un naja !

Et c'est lui qui a fini par gagner !

Comme Claire avait de nouveau les larmes aux yeux, j'ai annoncé joyeusement :

– C'est l'heure des bonbons.

Kristy m'a adressé un sourire reconnaissant.

Après les bonbons, nous avons nettoyé la cuisine. (« Une bonne baby-sitter ne laisse jamais le bazar », m'a-t-elle expliqué.) Puis Nicky a proposé :

– Qui veut sortir jouer au base-ball ?

– Moi !!! ont hurlé en chœur les triplés.

– Pas moi ! ont crié Claire, Margot, Vanessa et Mallory.

Mes angoisses complètement oubliées, j'ai suggéré :

– Kristy, tu pourrais accompagner les garçons dans le jardin pendant que les filles et moi…

J'ai eu un instant d'hésitation.

– On joue au salon de coiffure ? a complété Margot.

– Oui, pendant qu'on joue au salon de coiffure !

C'est ainsi que nous avons passé la dernière heure de notre baby-sitting. Kristy, qui joue très bien au base-ball, a improvisé un match avec les garçons tandis que je faisais des chignons et des couronnes en papier alu aux filles.

Personne n'est tombé dans les escaliers.

Personne n'a eu besoin de la trousse de secours, il n'y a pas eu de cambriolage, ni d'alerte incendie, le téléphone n'a même pas sonné.

Je n'en revenais pas lorsque j'ai vu M. et Mme Pike passer la porte. J'étais tellement surexcitée à l'idée de garder les enfants que j'avais complètement oublié que nous allions être payées pour cette mission. Aussi, quand Mme Pike a sorti deux billets pour nous les glisser dans la main, j'ai failli crier : « Qu'est-ce que c'est que ça ? »

Ce qui, bien évidemment, aurait été la deuxième erreur de la plus nulle des baby-sitters, mais je me suis retenue à temps.

J'ai tout de même sifflé : « Waouh ! », et Kristy m'a jeté un drôle de regard.

– Vous avez été formidables, les filles, nous a félicitées M. Pike. La cuisine brille comme un sou neuf.

– Et on est tous en un seul morceau ! a remarqué Claire – ce qui nous a bien fait rire.

Son père nous a raccompagnées chez nous en voiture. On aurait pu rentrer à pied car ce n'est pas loin, mais mon père aurait eu une crise cardiaque en apprenant que j'avais traîné dans la rue à la nuit tombée.

– Merci, monsieur Pike, ai-je lancé en grimpant le perron. Bonne nuit, Kristy, à demain !

En faisant irruption dans le salon, j'ai trouvé papa qui lisait son journal sur le canapé. Il avait dû me guetter par la fenêtre.

J'ai agité mon billet dans les airs.

– Regarde ce que j'ai gagné, papa ! Tout s'est très bien passé. (De toute façon, il le savait déjà puisque j'avais dû l'appeler régulièrement pour lui donner des nouvelles.) Kristy m'a appris des tas de trucs et astuces de baby-sitter. C'est une véritable experte.

Je me suis arrêtée pour reprendre mon souffle.

– Et les enfants m'ont bien aimée. Enfin je pense. J'ai joué au salon de coiffure avec les filles. J'ai été responsable, consciencieuse et créative.

Un sourire s'est lentement dessiné sur ses lèvres.

– Je suis très fier de toi, Mary Anne.

– C'est vrai ?

– Bien sûr.

– Alors je pourrai refaire du baby-sitting ?

Il a replié soigneusement son journal. Mais avant qu'il ait pu ouvrir la bouche, j'ai ajouté : « Allez, allez, s'il te plaît ! », ce qui, à la réflexion, n'était pas très mature.

– Oui, d'accord. (Je me suis retenue de sauter au plafond.) Mais il va falloir établir des règles.

Encore des règles. Oh, oh…

– Je ne veux pas que tu fasses des gardes seule, sans autre baby-sitter.

– Même s'il n'y a qu'un enfant ?

– Oui. Et tu dois être rentrée à neuf heures du soir au plus tard.

Il a continué ainsi de suite pendant un moment jusqu'à ce que je m'exclame :

– Je croyais que tu étais fier de moi !

Il a paru surpris.

– Mais je suis très fier. Je te l'ai dit.

– Alors pourquoi tu…

J'ai laissé ma phrase en suspens. Il fallait pourtant que je trouve les mots, c'était l'occasion ou jamais. Je me suis éclairci la voix avant de poursuivre :

– Je ne voudrais pas me montrer insolente, mais j'ai l'impression que, d'un côté, tu me donnes l'autorisation de faire du baby-sitting et, de l'autre, tu me traites comme un bébé.

Je l'ai dévisagé, guettant sa réaction. Avais-je été trop loin ? Il a repris son journal, y a jeté un coup d'œil, l'a reposé pour qu'il soit parfaitement aligné avec le coin de la table.

Puis il a finalement reconnu :

– J'ai peut-être un peu de mal à trouver la limite entre veiller sur toi et te traiter comme un bébé. Il est possible que je te surprotège un peu, en effet… mais je n'ai que toi. C'est pour ça que je tiens à ce que tu respectes mes règles.

– C'est ce que je fais, papa. Je respecte tes règles.

Je me suis penchée pour l'embrasser sur la joue (on n'est pas très démonstratifs chez nous).

– Merci de m'avoir laissée garder les enfants Pike. Tu ne le regretteras pas, tu verras.

Je suis montée dans ma chambre en me disant que je commençais une grande carrière de baby-sitter !

7
Claudia

Pour mes douze ans, mes parents m'ont offert un collier, la chemise dont je leur parlais depuis presque un mois et un bon d'achat pour des fournitures d'arts plastiques.

Jane m'a offert un livre et je savais pertinemment que je ne le lirais jamais. Dans ces cas-là, on dit que c'est l'intention qui compte, non ? Mimi m'a donné une broche qui avait appartenu à sa grand-mère en m'assurant :

– Elle serait heureuse de savoir que son arrière-arrière-petite-fille la porte maintenant.

Je l'ai serrée très fort dans mes bras.

Nous avons fêté mon anniversaire en petit comité (juste la famille), car ma piscine-party était prévue trois jours plus tard. Les Goldman avaient accepté de nous prêter leur piscine, leur petit abri ainsi que leur cuisine, ils nous laissaient les lieux pour l'après-midi.

– Tu n'as pas besoin de vieux ronchons comme nous qui traînent dans les parages, m'avait dit

Mme Goldman en souriant. On ira faire un tour en ville.

Papa, maman et Mimi avaient préparé tout un buffet que nous allions apporter dans leur cuisine.

– Qu'est-ce qu'il te faut d'autre ? m'avait demandé ma mère.

Elle pensait sûrement à des ballons, des chapeaux en papier et des cadeaux pour la pêche à la ligne ou les chaises musicales.

– Rien, c'est bon, avais-je répondu. Tu vois, c'est l'intérêt d'une piscine-party. Il faut juste une piscine et un buffet.

– Mais qu'est-ce que vous allez faire, tout l'après-midi ?

J'ai haussé les épaules.

– Ben, on va se baigner et manger.

Les filles regarderaient les garçons, ricaneraient, discuteraient et feraient les belles pour attirer leur attention. De leur côté, les garçons regarderaient les filles, ricaneraient, et feraient les malins pour attirer leur attention.

J'ai choisi ma tenue avec soin, après de nombreux essayages. Mon nouveau maillot deux-pièces était super, mais ça ne suffisait pas. J'ai passé en revue mes chapeaux, mes bijoux, mes sandales. J'ai enfilé tous mes hauts transparents et mes pantacourts par-dessus. Je me suis même tracé un grain de beauté sur la joue au crayon, mais j'avais peur que ça coule dès la première baignade.

Ma chambre ressemblait aux cabines d'un grand magasin pendant les soldes, mais le jour de la fête, j'avais trouvé la tenue parfaite : chic et originale, mais qui plairait quand même à mes parents. Tout était prêt, repassé, étalé sur mon lit – des barrettes jusqu'aux sandales argentées en passant par les bijoux et la chemise que papa et maman m'avaient offerte. Avec ça, je faisais facilement deux ans de plus.

Tous les gens que j'avais invités à ma fête avaient accepté de venir. Les garçons savaient qu'il y aurait des filles et ils étaient surexcités. Les filles savaient qu'il y aurait des garçons et, à part Mary Anne et Kristy, elles étaient surexcitées. Mes deux amies avaient fait un peu la tête, regrettant les soirées-pyjamas d'autrefois.

– Il y aura d'autres occasions d'en faire, avais-je promis.

Ma sœur, en revanche, avait l'air enthousiaste, ce qui était assez étonnant de sa part.

– Tu as invité qui ? l'ai-je questionnée une heure avant le début de la fête alors que j'ajoutais une dernière touche à ma tenue.

Ça m'intriguait car ma sœur n'a pas d'amis.

– Marlene, m'a-t-elle répondu.

Comme je haussais un sourcil, elle a précisé :

– De mon cours de statistiques.

– Ah…

– Et Frank, il est aussi dans mon cours.

J'étais surprise qu'elle ait invité un garçon. « Mmm, me suis-je dit (pas très gentiment, je l'avoue), elle a invité deux premiers de la classe, comme elle, forcément. » Ça ne me dérangeait pas du moment qu'ils restaient dans leur coin et ne reprenaient pas mes amis sur leur vocabulaire ou leurs fautes de grammaire.

– Qu'est-ce que tu vas mettre ?

Jane m'a dévisagée sans comprendre.

– Je suis déjà habillée.

– Quoi ? Tu restes comme ça ?

Ma sœur portait un jean (qui ne lui allait pas très bien, il la boudinait par endroits alors qu'elle est toute mince) et un T-shirt avec le portrait d'Albert Einstein sur le devant et $e = mc^2$ dans le dos.

– Ben, oui, a-t-elle confirmé.

Quelques minutes plus tard, j'ai vu les Goldman quitter leur maison en voiture. Aussitôt, maman s'est écriée :

– Les filles ! Venez, on va porter les plats chez les voisins.

Nous avons fait plusieurs allers et retours, les bras chargés de saladiers, de sacs de glaçons et de bouteilles de jus de fruits. À trois heures moins cinq, tout était prêt et, à trois heures pile, Kristy et Mary Anne ont sonné chez les Goldman.

– Salut ! a lancé Kristy.

– Joyeux anniversaire ! a renchéri Mary Anne.

– On n'a rien apporté, parce qu'on t'a déjà offert tes cadeaux, s'est excusée Kristy. Tu te souviens, le jour de ton anniversaire ?

Elle était en jean, avec un T-shirt blanc. Quand elle s'est déshabillée, il m'a semblé reconnaître son maillot de l'été dernier. En tout cas, il était trop petit comme si elle avait pris au moins dix centimètres dans l'année.

Mary Anne a ôté délicatement son pantacourt à carreaux et son chemisier bleu pastel. En dessous, elle avait un une-pièce rose à froufrou avec une sirène brodée sur la hanche. Celui-là, j'étais sûre et certaine de l'avoir déjà vu !

– Je ne savais pas où je l'avais fourré, a-t-elle expliqué. Je l'ai retrouvé dans le tiroir de ma commode, juste avant de venir.

Comment ça ? Elle n'avait donc pas prévu sa tenue à l'avance ?

– Allez, viens, Mary Anne ! s'est écriée Kristy. La première dans la piscine !

Dans une gerbe d'éclaboussures, mes deux amies se sont jetées à l'eau.

– Salut, Claudia !

– Bon anniversaire !

En me retournant, j'ai aperçu quatre personnes devant le portail : Emily, Dori, Darnell et Peter.

– Bonjour ! Entrez, entrez !

Un quart d'heure plus tard, le jardin fourmillait d'invités. Mes parents commençaient à disposer le buffet sur une table de pique-nique. Et les paquets-cadeaux s'entassaient sur une chaise longue.

J'étais en train d'observer Peter, que le T-shirt de ma sœur laissait visiblement perplexe, quand, soudain, j'ai entendu le portail s'ouvrir. Le visage de Jane est subitement passé de l'ennui profond (elle était en train de discuter avec Emily) à la panique pour devenir… rayonnant !

J'ai suivi son regard. Un grand brun aux cheveux bouclés s'est approché. Il avait au moins deux têtes de plus que tous les autres invités. En apercevant ma sœur, il lui a fait signe.

– Ah, salut, Frankie !

Elle a abandonné Emily pour le rejoindre en m'entraînant avec elle.

– Frankie, je te présente… euh, ma sœur, Claudia.

Il m'a souri.

– Bonjour ! Bon anniversaire.

C'est tout. C'est tout ce qu'il a dit. Mais, je ne sais pas si c'est le soleil ou son sourire, mais, soudain, ce simple « bon anniversaire » a pris des proportions colossales à mes yeux. Comme s'il m'avait dit : « Oh, je n'avais jamais rencontré de jeune fille aussi belle. Merci d'être entrée dans ma vie ! Nous sommes faits l'un pour l'autre. »

Saisie de vertige, j'ai seulement répondu :

– Merci.

– Frank est au lycée de Stonebrook, m'a informée ma sœur.

– Enfin, je vais y entrer en septembre, je serai en seconde.

Je ne pouvais pas détacher mes yeux de son visage.

– Claudia ? a fait ma sœur.

Je me suis secouée pour tenter de me reprendre.

J'ai vu Jane froncer les sourcils.

Heureusement, j'ai retrouvé l'usage de la parole. J'ai désigné le jardin d'un geste vague.

– Le buffet est là-bas. Tu peux te servir. Et voilà la piscine...

– Claudia, il a des yeux pour voir, m'a coupée ma sœur.

Frank m'a souri à nouveau, me faisant tourner la tête. C'est alors que j'ai entendu Rick Chow m'appeler.

– Oh, Rick ! Entre !

J'ai réussi à détacher mon regard et mes pensées de Frank.

J'étais en train de me dire que c'était étrange de voir mes camarades de classe en maillot de bain lorsque Kristy s'est mise à brailler :

– Marco !

Mary Anne a instantanément répliqué :

– Polo !

Au même moment, mon père est sorti de la cuisine vêtu du tablier de Mme Goldman où on lisait en grosses lettres : *C'est mamie qui régale !* avec une grosse dame pulpeuse dessinée en dessous. Je n'ai même pas eu le temps de mourir de honte, parce que, en le voyant, ma sœur, horrifiée, a reculé d'un pas et est tombée dans la piscine tout habillée.

– Jane ! a hurlé une fille que je ne connaissais pas (Marlene, j'imagine).

Elle n'était pas en maillot non plus, mais, n'écoutant que son courage, elle a plongé dans la piscine tout habillée, elle aussi.

– Accroche-toi à moi ! a-t-elle crié.

– Mais je sais nager, a répondu Jane.

J'étais plantée au bord de l'eau, bouche bée, quand j'ai entendu des éclats de rire dans mon dos.

Dori m'a pris le bras.

– T'en fais pas, ça pourrait être pire. Tu te souviens quand je suis allée en cours avec une étiquette SOLDES dans le dos ?

J'ai souri, un peu réconfortée, mais quand même… Ce n'était pas du tout comme ça que j'avais imaginé ma fête ! Surtout avec un invité aussi charmant que Frank dans les parages…

Jane et Marlene sont ressorties de l'eau, elles ont vite ôté leurs vêtements trempés pour se sécher. J'en ai profité pour prendre papa à part dans la cuisine et lui demander de mettre plutôt le tablier de *monsieur* Goldman – ou encore mieux, pas de tablier du tout. Puis la fête a continué à battre son plein. J'ai réussi à ignorer Kristy et Mary Anne qui ne quittaient pas la piscine, préférant rester à bonne distance des garçons. Je pense que Mary Anne en avait peur parce qu'elle est d'une timidité maladive. Au collège, elle osait à peine leur adresser la parole, bien qu'ils soient habillés. Alors vous imaginez, là, avec tout le monde en maillot ! Kristy, elle, avait décrété une fois pour toutes que les garçons étaient des êtres répugnants.

Je l'avais entendue confier ça à Mary Anne pendant la fête, et c'était à ce moment-là que j'avais décidé d'ignorer leur présence.

J'étais devant le buffet en train de discuter avec Dori quand j'ai senti une main sur mon épaule.

– Tu veux que je te prépare un hot-dog ou autre chose ?

Une voix d'homme, ou presque.

C'était Frank.

– Hum... Oui, merci, ai-je bafouillé en m'efforçant de ne pas tomber dans les pommes.

Il a garni un petit pain en proposant :

– Ketchup ? Moutarde ?

– Les deux, s'il te plaît, ai-je répondu en espérant qu'il n'allait pas me trouver bizarre.

– Moi aussi, c'est comme ça que je les aime, a-t-il affirmé en me tendant le hot-dog.

– Merci.

– Tu veux t'asseoir ?

Oh, là, là ! Tout tournait autour de moi. Si ça se trouve, je couvais quelque chose. Pourtant j'allais très bien avant qu'il me dise qu'on était faits l'un pour l'autre, euh, enfin, avant qu'il me souhaite un bon anniversaire.

Je l'ai suivi jusqu'à une chaise longue (pour être honnête, je l'aurais suivi dans un nid de serpents). Et là, soudain, Jane, qui d'habitude est presque muette, s'est écriée :

– Hé, Claudia ? Tu n'ouvres pas tes cadeaux ?

La plupart des invités étaient sortis de l'eau pour grignoter un peu. Les filles se sont attroupées autour de la pile de paquets, surexcitées.

– Oh oui ! Ouvre-les vite ! m'a encouragée Polly.

Je me suis donc dépêchée de finir mon hot-dog pour attaquer les cadeaux. Frank s'est assis près de moi (j'avais l'impression que tout mon côté gauche était en feu) et m'a gentiment aidée à fourrer papiers et rubans dans un sac-poubelle au fur et à mesure. Jane s'était installée à sa gauche. Elle n'arrêtait pas de faire des remarques du genre : « Moi, quand j'avais douze ans… », « Oh, ça me rappelle quand j'étais en sixième… »

Frank acquiesçait en souriant, mais il m'a apporté un verre de jus de fruits en précisant :

– J'ai rajouté des glaçons.

Après avoir fini d'ouvrir mes cadeaux – un faux piercing pour le nez (qui ravirait mes parents), des boucles d'oreilles, un miroir de sac, un autre bon d'achat pour des fournitures d'arts plastiques –, j'ai remercié mes amis. Marlene et Frank ne m'avaient rien apporté, évidemment, puisqu'ils ne me connaissaient pas, mais Frank m'a promis :

– J'ai entendu une super chanson à la radio, je vais t'acheter le CD.

– Waouh, merci, mais tu n'es pas obligé…

– Si, si, ça me fait plaisir.

– Hé, Frank ! l'a hélé ma sœur.

Il s'est retourné, et Emily en a profité pour me glisser à l'oreille :

– Claudia, tu lui plais !

J'ai agrippé l'accoudoir de la chaise longue.

– Tu crois ?

– Oui, ça crève les yeux, m'a-t-elle assuré. Tu te rends compte, il entre en seconde ! La chance ! En plus, il est super mignon.

J'ai jeté un regard par-dessus mon épaule. Ma sœur avait entraîné Frank de l'autre côté de la piscine.

– C'est vrai qu'il est pas mal, ai-je reconnu.

Tu parles. Je le trouvais… trop beau !

Frank a fini par abandonner Jane pour revenir s'asseoir près de moi. Il m'a raconté que, avec ses copains, ils venaient de fonder un groupe. Je faisais mine d'écouter alors que je m'efforçais de mémoriser le moindre trait de son visage pour le dessiner ensuite. Lorsque Mimi a apporté le gâteau d'anniversaire, il m'a aidée à le couper. Quand il a commencé à faire plus frais, il m'a tendu son sweat. Ça sentait le garçon, la lessive, le propre.

Les invités sont partis petit à petit. Je l'ai raccompagné jusqu'au portail et je lui ai tendu son pull.

– Tiens.

Il m'a posé la main sur le poignet.

– Non, je ne veux pas que tu attrapes froid. Je passerai le reprendre un autre jour.

Ah bon ? On allait se revoir alors ? Je ne pouvais plus penser à autre chose. C'était vraiment le meilleur anniversaire de ma vie.

Je suis restée en transse toute la soirée.

Papa, maman, Mimi et Jane avaient rangé et nettoyé le jardin des Goldman avant de rentrer à la maison. Moi, j'étais dans ma chambre, en train de regarder mes cadeaux et de rêver… vous devinez à qui. C'était tellement fou, ce qui m'arrivait. Le problème, c'est que je ne pouvais pas en parler à mes deux plus vieilles amies. Impossible. J'entendais encore résonner leurs « Marco Polo ». Je revoyais Kristy qui disait : « Les garçons sont des êtres répugnants », Mary Anne avec son maillot de sirène et toutes les deux qui plongeaient vite sous l'eau dès qu'un garçon s'approchait d'elles.

Ça me rendait triste. Comme si je quittais… quoi exactement, je l'ignorais, une vie, un monde que je n'aimais plus vraiment et qui pourtant allait me manquer.

J'étais en train de penser à tout ça quand j'ai entendu ma sœur claquer la porte de sa chambre. J'ai jeté un coup d'œil dans le couloir.

– Jane ?

Pas de réponse.

– Jane ?

– Laisse-moi.

– Mais je n'ai rien fait !

Ma sœur a entrouvert sa porte, juste assez pour me glisser d'un ton plein de reproches :

– Tu plaisantes ? Réfléchis un peu et tu comprendras.

Puis elle m'a claqué la porte au nez.

Que je réfléchisse à quoi ? Jane est tellement intelligente que j'ai parfois du mal à la suivre. C'est ce que j'allais répliquer à travers la porte quand j'ai repensé à Frank… J'ai revu le visage radieux de ma sœur lorsqu'il était arrivé. Soudain, j'ai compris.

Elle avait un faible pour lui. Et c'est pour ça qu'elle l'avait invité.

Oh, oh…

8

Lucy

En sixième, Dieu soit loué, j'ai commencé à faire du baby-sitting pour les enfants de mon immeuble. Sans eux, je me demande comment je me serais occupée tout l'été.

Mi-juillet, bon nombre de meubles et d'affaires étaient déjà emballés. Ma mère avait terminé son grand ménage et donné des sacs entiers de vieux vêtements ou d'objets qui traînaient au fond des placards depuis dix ans. Elle avait même exhumé un carton qui n'avait jamais été ouvert depuis le précédent déménagement !

– Voilà une bonne chose de faite, a-t-elle déclaré en se débarrassant du dernier sac. Maintenant, il est temps de faire nos bagages.

J'allais demander si nous ne pourrions pas souffler une journée, mais je me suis rendu compte que, pour ma part, je n'avais rien d'autre à faire. J'ai donc consciencieusement traîné quelques cartons vides dans ma chambre que j'ai remplis avec mes vêtements d'hiver.

C'est avec soulagement que j'ai abandonné ma chambre sens dessus dessous pour aller garder Twila et Jeremy Rosenfeld l'après-midi.

– On va jouer à pot de colle, a annoncé la fillette de cinq ans dès que M. Rosenfeld est parti à son rendez-vous chez le dentiste.

Perplexe, j'ai répété :

– Pot de colle ? Qu'est-ce que c'est ?

Les deux enfants étaient assis côte à côte sur le canapé du salon, tellement près que leurs épaules, leurs bras et leurs cuisses se touchaient.

– Regarde, on est collés, a expliqué le garçon. C'est ça, le jeu.

– Et on doit rester comme ça tout le temps, a précisé sa sœur. Viens, Jeremy, j'ai soif.

Ils se sont levés du canapé pour se rendre tant bien que mal dans la cuisine sans se détacher l'un de l'autre. Ils ont clopiné en gloussant jusqu'au réfrigérateur, d'où Jeremy a sorti la cruche.

Ensuite, ils se sont dirigés vers le placard pour y prendre un verre.

– Toi aussi, tu veux boire ? a-t-elle demandé.

Son frère a acquiescé.

– C'est toi qui verses, a-t-elle décrété en sortant un second verre.

Jeremy, la main droite immobilisée par sa sœur siamoise, a soulevé la cruche de la main gauche pour le remplir maladroitement.

Nous avons tous beaucoup ri, puis j'ai pris la parole :

– Les enfants, il faut que je vous dise quelque chose.

Jeremy m'a scrutée, méfiant.

– Quoi ?

Sachant que les enfants n'ont pas la même notion du temps que les adultes, j'avais reculé au maximum le moment de leur annoncer mon déménagement. Si je leur avais dit dès le mois de mai que je partais en août, je me serais certainement exposée à trois mois de questions angoissées, de bouderies et de pleurs. J'avais donc attendu que la date du départ soit proche pour leur en parler.

– Eh bien, je vais bientôt déménager.

– Où ça ? m'a questionnée Twila.

– Dans le Connecticut. Tu sais où ça se trouve ?

– De l'autre côté de Central Park ? a-t-elle hasardé.

Se désolidarisant de sa sœur, Jeremy s'est levé et a grommelé :

– N'importe quoi ! C'est un État différent, le Connecticut. Tu vas partir loin, alors ?

– Ha ! ha ! tu as perdu ! a croassé Twila. Tu t'es décollé.

– M'en fiche, a rétorqué Jeremy en me jetant un regard noir.

J'ai essayé d'être diplomate :

– Tu as raison, le Connecticut est bien un autre État, à seulement quelques heures d'ici.

La réalité semblait lentement s'insinuer dans le cerveau de Twila.

– Quelques heures ! Mais… c'est…

Visiblement, elle n'arrivait pas à imaginer une telle distance.

– Mais c'est vraiment loin ! a protesté Jeremy. Pourquoi tu déménages ?

– Parce que mon père a trouvé un nouveau travail.

– C'est nul, a décrété le petit garçon, les lèvres tremblantes.

– Qu'est-ce que je pourrais faire pour me faire pardonner ?

Il a détourné les yeux et n'a pas répondu.

– Tu pourrais nous offrir des cadeaux pour nous consoler, a proposé malicieusement Twila.

Je lui ai souri.

Les choses se sont un peu mieux passées avec Sean et Sarah, les enfants Beckett. Sans doute parce que, à trois ans, on ne comprend pas vraiment ce que veut dire déménager et également parce qu'ils me connaissaient beaucoup moins bien que Twila et Jeremy.

– Il y aura un camion de déménagement ? a demandé Sean avec intérêt.

– Oui, un camion énorme, car il doit pouvoir contenir tous nos meubles, nos vêtements et notre matériel de cuisine.

Sarah a ôté son pouce de sa bouche juste assez longtemps pour dire :

– Tous vos meubles ? Il sera assez grand pour mettre un canapé et un lit ?

– Pas seulement. Il faut y mettre deux canapés, deux lits, plus toutes nos chaises, nos tables et nos lampes.

– Waouh ! s'est-elle exclamée en suçant son pouce.

Nous avons continué à parler du camion et de la manière dont on devait disposer les affaires pour que tout y rentre. Et les jumeaux n'ont même pas demandé où j'allais.

En revanche, les petits Goldsmith ont fondu en larmes en apprenant la nouvelle. Tout à coup, ils se sont mis à pleurer tous les trois, comme si j'avais appuyé sur un bouton.

Sami a gémi :

– Mais pourquoi, Lucy, pourquoi ?

– Les autres baby-sitters, elles sont nulles ! a crié Eloise.

En réprimant un sanglot, Nathan a déclaré :

– Oui, on n'aime que toi !

Le lendemain, je gardais la petite Caroline Barkan au quatrième étage. En fait, comme Mme Barkan était présente, j'étais plutôt là comme assistante que comme baby-sitter. Elle avait organisé une réunion chez elle et souhaitait que je m'occupe de la petite de deux ans jusqu'au départ des invités. Vers six heures, la réunion était terminée, mais quelques personnes traînaient encore dans le salon, lorsque tout à coup, Mme Barkan a consulté sa montre.

– Oh, Lucy, il faut que tu y ailles. Tiens, voilà pour toi.

Elle m'a fourré quelques billets dans la main et m'a poussée dans le couloir. J'étais en train de dire au revoir à Caroline quand la porte s'est refermée sur moi.

Bon. C'était un peu curieux. Dans l'ascenseur, je me suis demandé si j'avais fait quelque chose qui aurait pu gêner Mme Barkan. En ouvrant la porte de chez moi, je m'attendais à entendre le bruit du dévidoir de Scotch ou des cartons qu'on empile, accompagné d'un grand soupir de ma mère, mais l'appartement était silencieux. Et plutôt sombre. Comme si les stores avaient été baissés.

Paniquée, j'ai crié :

– Il y a quelqu'un ?

Alors le plafonnier s'est allumé et j'ai entendu :

– Surprise, surprise !

J'ai ouvert de grands yeux.

Les cartons avaient disparu, le salon était tout décoré, avec des ballons et une grande banderole dorée « AU REVOIR, LUCY ! ». Une piñata en forme de cochon (mon animal préféré) était suspendue au-dessus de la table basse chargée d'amuse-gueules et de boissons, avec des serviettes, gobelets et assiettes ornés de petits cochons.

Bouche bée, j'ai découvert une petite troupe au milieu du salon.

Maman. Papa. Twila et Jeremy, collés l'un à l'autre et pouffant de rire. Les trois petits Goldsmith, chargés de cadeaux. D'autres petits clients. Presque toutes les filles de ma classe. M. Cummings. Mme Cummings.

Et Laine. Elle ne souriait pas et son regard était froid.

Mais tous les autres bavardaient, riaient, pendant que les plus petits sautaient dans tous les sens.

Twila a couru vers moi pour m'enlacer en s'écriant :

– Jeremy et moi, ça fait trois jours qu'on garde le secret !

Eloise m'a fourré un paquet entre les mains.

– Tiens, Lucy, c'est pour toi !

– Et ça aussi, a surenchéri Nathan.

– On a mis nos cadeaux là-bas, a indiqué Jeremy en montrant une table basse.

Entourée de tous mes petits clients, j'étais comme un capitaine au milieu de son équipe de foot. Laine nous toisait d'un œil hautain. Elle a échangé un regard avec Naomi et Caitlin, mes anciennes amies, puis elles se sont toutes mises à ricaner.

– Alors, qu'est-ce que tu penses de ça, ma chérie ? m'a demandé mon père.

Eh bien, j'étais très touchée. Je me suis relevée en bafouillant :

– M… merci à tous ! Je suis très heureuse !

– On t'a bien eue, non ? m'a demandé la mère de Laine.

– Effectivement, c'est une vraie surprise !

– Lucy ! Lucy ! Ouvre tes cadeaux ! a supplié Twila.

– Laisse-la un peu dire bonjour à ses invités ; elle ouvrira ses cadeaux plus tard, l'a raisonnée M. Rosenfeld qui avait émergé de la foule.

Mal à l'aise, je suis restée debout à l'entrée du salon, pour éviter Laine et mes copines de classe. Comment mes parents avaient-ils pu les convaincre d'assister à la fête ?

Comme si elle avait lu dans mes pensées, Laine s'est frayé un chemin dans la foule jusqu'à moi.

– Sympa, ton goûter de départ, a-t-elle remarqué sur le ton qu'elle aurait employé pour dire : « Tu as un bouton répugnant sur le nez. »

Nos parents n'étaient pas dans les parages.

Je mourais d'envie de répliquer : « C'est tellement gentil de ta part d'être venue ! », mais je savais qu'elle était imperméable aux sarcasmes. Je me suis donc tue.

– Tu sais pourquoi je suis ici, non ? a-t-elle fini par demander.

Sans attendre ma réponse, elle a poursuivi :

– Parce que mes parents m'ont obligée à venir. Et toutes les personnes présentes ici, de plus de huit ans bien sûr, sont venues parce que je le leur ai demandé.

Elle avait dû les menacer de cette manière : si elles ne venaient pas, alors… Alors, Laine les éviterait, elles aussi. Ou alors, surprise ! elles ne seraient plus invitées aux fêtes, leur téléphone cesserait de sonner et elles se retrouveraient aussi isolées que j'avais pu l'être.

La reine des pestes possédait des superpouvoirs malfaisants. Je lui faisais confiance.

Lorsque nos mères se sont approchées bras dessus, bras dessous, Laine s'est immédiatement métamorphosée.

– Tu vas nous manquer, Lucy, a déploré Mme Cummings.

– Oui, tu vas tellement, tellement nous manquer, a renchéri Laine. Rien ne sera plus comme avant.

Ravies et attendries, nos mères sont parties voir ailleurs, et Laine m'a lancé un regard perfide.

Une pensée m'a alors traversé l'esprit :

– Dis, Laine, je te fais peur ?

Je venais en un éclair de revoir l'expression de son visage quand j'avais fait pipi au lit à la soirée-pyjama, et le jour où j'avais fait un malaise en classe à l'école et qu'il avait fallu appeler l'ambulance. Peut-être...

– Peur de toi ? s'est-elle esclaffée. Tu veux rire ?

Mais je n'avais peut-être pas tort.

Allison Ritz s'est dirigée vers nous en compagnie de Naomi et Caitlin.

– Tu as des amis très intéressants, a lancé cette dernière en regardant les petits Goldsmith.

J'ai pris une profonde inspiration avant de riposter :

– Tu sais, en amitié, il n'y a pas d'âge. Et ces enfants ont été beaucoup plus gentils avec moi que vous ne l'avez été ces derniers temps. Vous devriez peut-être en prendre de la graine.

– Oh là là ! se sont-elles exclamées en chœur. Mais Lucy a son petit caractère ! Elle est en colère. Peut-être l'avons-nous offensée ?

Le père de Laine est alors arrivé avec un plateau de mini-pizzas.

– Merci, monsieur Cummings, ont-elles dit poliment en se servant.

– Merci, papa, a rajouté Laine.

– Tu en veux, Lucy ? m'a-t-il proposé en me tendant le plateau.

Tout ça m'avait coupé l'appétit.

– Non, merci, ai-je décliné en essayant de sourire.

Une fois son père parti, Laine a regardé ses amies en fronçant les sourcils.

– Grands dieux, Lucy ne mange rien. La pauvre, elle doit être déprimée. Mais je sais, vous allez toutes vous relayer pour vous occuper d'elle.

Allison s'est penchée vers moi en chuchotant bien fort :

– Attention, sinon elle risque encore de faire pipi dans sa culotte.

Bien entendu, elles se sont mises à glousser à n'en plus finir. Le plus fou, c'est que je n'avais même pas envie de leur dire : « Fichez-moi le camp d'ici tout de suite, bande de chipies mal élevées », mais : « Pourquoi ne voulez-vous pas être mes amies ? Même si vous ignorez que je suis diabétique et si vous n'avez pas compris ce qui s'est passé l'année dernière, pourquoi vous ne voulez pas de moi ? Moi, j'aimerais être votre amie. »

J'étais complètement pathétique.

C'est Twila qui m'a épargné d'autres humiliations en me prenant par la main.

– Lucy ? Tu viens ouvrir tes cadeaux ?

Je n'en avais aucune envie, surtout en présence de Laine et des autres filles, mais je n'avais pas vraiment le choix. Pendant la demi-heure suivante, assise sur le canapé, j'ai ouvert les boîtes et les enveloppes en m'écriant : « Merci beaucoup » et : « Oh ! c'est magnifique ! Je penserai à toi chaque fois que je le verrai. »

La fête touchait à sa fin, les plateaux et la piñata étaient vides, les gens commençaient à partir, quand Laine s'est approchée du canapé, a fait semblant de trébucher et a renversé un verre de Coca sur mon chemisier. Qui était blanc, tout neuf et que je m'étais payé avec l'argent durement gagné de mes baby-sittings.

– Oh, pardon ! Lucy, je suis vraiment désolée ! Je ne sais pas ce qui s'est passé. Pourtant, tu as de grands pieds, difficile de les rater. Je suis maladroite.

Ricanements d'Allison, Naomi et compagnie.

J'en avais assez. En rinçant mon chemisier à l'évier de la cuisine, j'ai murmuré :

– Laine l'a fait exprès, maman, tu as vu ? Ce n'était pas un accident.

– Pour l'amour du ciel, cesse de dire des bêtises. Laine ne ferait jamais une chose pareille exprès ! Et je l'ai entendue te présenter ses excuses.

– Puisque tu le dis, ai-je rétorqué.

Je me suis mise à compter les jours qui nous séparaient du déménagement. J'avais hâte de quitter New York… et mes très chères amies !

9

Mary Anne

L'été filait, comme tous les étés. Au début, on compte les semaines qu'on a devant soi, on a l'impression que les vacances seront sans fin et, brusquement, on voit partout des publicités pour les fournitures scolaires.

En regardant la télévision avec mon père, j'ai failli tomber du canapé. C'était une douce soirée de début août, et papa avait ouvert la baie en grand pour qu'on puisse entendre les criquets et les hiboux. Papa lisait son journal, je tricotais une écharpe en laine qui me tenait affreusement chaud aux jambes.

– Qu'est-ce qui te prend ? s'est étonné mon père en me voyant sursauter.

J'ai désigné l'écran.

– Tu as vu ?

Il a secoué la tête.

– C'était une publicité pour Plume d'Encre.

(Au cas où vous ne connaîtriez pas, il s'agit d'une chaîne de papeteries.)

– Ah, a-t-il fait distraitement, sans comprendre pourquoi cela me mettait dans un tel état.

– Tu as entendu le slogan : « Il est temps de penser à vos cartables, cahiers, agendas et stylos » ? ai-je répété.

Il a froncé les sourcils.

– On voyait un père tout joyeux qui traînait ses pauvres enfants acheter leurs fournitures scolaires.

Papa a souri.

– Ce n'est pas drôle ! On est déjà à plus de la moitié des vacances ! Ça va bientôt être l'anniversaire de Kristy !

J'aimais bien les cours, le collège et tout, mais ça ne m'empêchait pas d'espérer que l'été durerait éternellement.

– Elle va organiser une fête ? s'est enquis mon père.

– Un simple dîner en famille. Elle m'a invitée.

Il a hoché la tête avant de se replonger dans son journal. J'ai baissé un peu le son de la télé. Il y avait quelque chose qui me tracassait à ce sujet, justement. J'ai réfléchi un moment. En fait, il y avait plusieurs problèmes.

Je vous explique : Kristy avait décidé de ne pas faire de vraie fête pour son anniversaire, dégoûtée par l'expérience récente de la piscine-party de Claudia. Avec les garçons. Et les filles qui se dandinaient en maillot. Et les cadeaux…

Si papa m'avait demandé maintenant ce que je voulais pour mon anniversaire, j'aurais demandé des kits de travaux manuels, tout le nécessaire pour faire des habits de poupées, le DVD du *Monde de Narnia*. Et j'aurais aussi bien aimé un hamster.

Alors que Claudia n'avait eu que des vêtements et des bijoux. Kristy et moi, ça ne nous intéressait pas du tout. Pas plus que les garçons et le reste. Du coup, Kristy avait décidé de ne pas organiser de fête. Elle préférait passer son anniversaire en famille à la maison.

Elle n'avait invité que Claudia (qui ne pouvait pas venir) et moi. C'était très bien. J'étais contente. Sauf que Kristy avait précisé à sa mère qu'elle ne voulait pas que Jim soit là. Ni lui, ni ses enfants. Selon elle, il s'agissait d'une fête de famille et ils n'en faisaient pas partie. Mme Parker avait essayé de se montrer compréhensive, mais Kristy sentait bien qu'elle l'avait blessée et ça l'ennuyait. Cependant, il n'était pas question qu'elle change d'avis.

Et ce n'était pas tout. Mon amie espérait que son père allait se souvenir de sa date d'anniversaire et même qu'il ferait le déplacement. Alors que j'étais sûre et certaine que cela n'arriverait jamais. Comment pouvait-elle y croire ne serait-ce qu'un seul instant ? Elle n'avait pas vu son père depuis des années, il vivait en Californie, n'avait pas un sou et (elle venait de me l'avouer) la dernière fois qu'elle lui avait écrit, en juin, sa lettre lui était revenue.

– Tu ignores où il est, alors ? m'étais-je étonnée.

Elle avait baissé les yeux, mal à l'aise, arrachant machinalement les pâquerettes de la pelouse où nous étions assises.

– Peu importe, lui, il sait où j'habite. Maman doit forcément être en contact avec lui. Pour les questions d'argent et tout ça. Il sait qu'on n'a pas déménagé. Et il sait quand je suis née. Pas besoin de le lui rappeler, je pense.

Mmm... En principe non, avais-je pensé. Mais son père avait visiblement une très mauvaise mémoire pour ce genre de choses. Il ne semblait même pas fichu d'envoyer une simple carte postale.

– Papa, ai-je fait en posant mon tricot, j'aimerais faire un vraiment beau cadeau à Kristy.

– Ah oui ? C'est très gentil de ta part, Mary Anne.

J'ai hoché la tête. Je ne tenais pas à lui expliquer pourquoi j'avais envie de marquer spécialement le coup cette année, alors je me suis contentée de demander :

– Tu pourrais m'emmener faire des courses, samedi ?

J'aurais préféré pouvoir aller faire du shopping toute seule ou avec mes amies, mais il y était formellement opposé. Il voulait à tout prix que je sois accompagnée par un adulte.

– D'accord.

– Merci. Ça tombe bien, j'ai gagné pas mal de sous grâce à mes baby-sittings.

J'avais refait deux gardes avec Kristy, et avec mon argent de poche en plus, ma tirelire était bien pleine.

– Kristy, c'est un peu comme ma sœur.

Mon père a replié son journal pour me dévisager.

– C'est vrai que vous avez traversé beaucoup d'épreuves ensemble. Tu étais à ses côtés quand M. Parker est parti et que sa vie a complètement changé.

– Et puis, parfois, Mme Parker est un peu comme une mère pour moi, ai-je ajouté en espérant que ça ne choquerait pas mon père.

Maman a beau être décédée depuis longtemps, il a parfois des réactions un peu vives à ce propos.

Mais il a simplement répondu :

– Oui, tout comme Mimi. Tu as de la chance de les avoir. Et Kristy a de la chance de t'avoir, toi.

Une fois remontée dans ma chambre, j'ai fouillé dans le carton de ma mère. Je ne me rappelais pas du tout d'elle, je ne pouvais que me raccrocher à ces objets qu'elle avait soigneusement conservés. J'ai alors pensé à Kristy. Elle avait des souvenirs de son père, évidemment, mais il ne faisait plus partie de sa vie. Et pire, il ne semblait pas en avoir envie.

Je n'avais jamais connu ma mère. Kristy avait connu son père, mais il était parti. C'était sans doute l'un des points communs qui nous rapprochaient. En revanche, il y avait une grosse différence entre nous : je ne savais pas ce que je manquais, alors que mon amie, oui. J'étais toujours un peu mélancolique de voir les autres préparer la fête des Mères. J'enviais Kristy de pouvoir parler de tout avec sa mère (alors qu'avec mon père ce n'était pas évident), et je trouvais que Claudia avait de la chance de faire des sorties entre filles avec sa sœur, sa mère et sa grand-mère. Mais pour moi, ça restait abstrait. Un peu comme une série à la télévision.

Alors que Kristy avait plein de souvenirs d'anciennes fêtes des Pères, elle se rappelait le moment de l'histoire du soir ou les balades au parc avec son papa. Elle n'avait pas oublié quand il la portait sur ses épaules, qu'il la disputait parce qu'elle embêtait le chien ou qu'il lui apprenait à danser, en la laissant mettre ses pieds sur les siens. Et maintenant… tout ce qui lui restait de son père, c'étaient les souvenirs, un coup de fil de temps en temps, une carte encore plus rarement et surtout énormément de déceptions. Pourtant, elle ne lui demandait pas beaucoup. Simplement qu'il pense à elle de temps en temps. Qu'il l'aime.

J'ai posé le carton par terre, je me suis glissée dans mon lit et j'ai éteint la lumière. J'avais pas mal réfléchi à cette histoire d'anniversaire. Plus qu'un cadeau, je voulais organiser quelque chose de spécial. Une « journée spéciale Kristy ». Pour la consoler si jamais elle avait un peu le cafard après son dîner en famille.

Mmm, il fallait que je note ça tout de suite. Sauf que papa n'est pas très souple à ce sujet. Quand c'est l'heure d'éteindre, pas le droit de rallumer. Pas même pendant les vacances. Mon père est très à cheval sur les horaires de sommeil. J'ai donc tendu l'oreille, puis je me suis faufilée jusqu'à mon bureau sur la pointe des pieds pour prendre la lampe de poche que j'ai rangée exprès dans mon tiroir, ainsi qu'un stylo et un bloc de papier.

Je me suis installée sous ma couette en croisant les doigts pour que mon père n'aperçoive pas la lueur sous ma porte. Puis j'ai noté en haut de la feuille :

Journée spéciale Kristy – le 21 août

C'était le lendemain de son anniversaire, jour où elle risquait d'être très très déçue.

Festivités : Parade ? Discours ? Sketches ? Cadeaux ?

J'ai rayé « discours » et « sketches », c'était peut-être un peu trop.

Invités : Claudia, Mariah et Miranda Millaber, Lauren Hoffman.

Les jumelles et Lauren étaient d'anciennes amies de Kristy, elle me les avait présentées et on mangeait parfois ensemble le midi. Kristy serait sûrement ravie qu'elles participent à sa journée spéciale.

J'ai mordillé mon stylo un instant avant d'ajouter :

David Michael, les petits Pike, Simon Newton, Jenny Prezzioso – c'était les enfants qu'elle gardait.

J'ai continué à jeter mes idées sur le papier pendant un bon quart d'heure, puis j'ai éteint ma lampe de poche et je me suis endormie, contente que ma « journée Kristy » prenne forme.

Le samedi, papa a dû se rendre à son bureau le matin. Après son départ, j'ai aligné les poupées de ma mère sur mon lit et j'ai fouillé dans mon sac de pelotes de laine. J'avais envie de leur tricoter des écharpes et des bonnets. J'étais en train de me dire que ce serait une super activité à proposer aux enfants que je gardais quand le téléphone a sonné.

– Allô, Mary Anne ? C'est Mme Newton.

– Oh, bonjour, madame.

Les Newton habitaient dans notre rue. Kristy et Claudia gardaient souvent Simon, qui avait trois ans, à l'époque.

– J'ai entendu dire que tu faisais du baby-sitting. J'aurais besoin de quelqu'un pour garder Simon mardi prochain de quatorze heures trente à seize heures trente.

J'ai d'abord sauté de joie. Youpi ! Elle me proposait un vrai baby-sitting à moi, personnellement, alors que, jusque-là, j'avais développé mon expérience en secondant Kristy. Mais mon enthousiasme est vite retombé : mon père ne voudrait jamais que j'y aille seule, il fallait que je trouve quelqu'un qui m'accompagne.

J'ai répondu d'une voix que je voulais très pro :

– Oui, bien sûr, je suis libre mardi après-midi et je serai très heureuse de garder Simon. Juste un petit détail…

J'ai pris une profonde inspiration.

– … Comme je débute, mon père… (j'avais très envie de dire qu'il était tout le temps sur mon dos parce qu'il me prenait pour un bébé, mais ce n'était pas très rassurant pour la maman qui allait me confier son enfant)… mon père préfère que je sois accompagnée d'une amie. Je vais donc demander à Kristy ou à Claudia.

– Oh... mais, je..., a bafouillé Mme Newton, je..., je ne voulais qu'une...

– Vous ne paierez qu'une seule baby-sitter, ne vous en faites pas. Je vous rappelle ce soir, quand j'aurai pu joindre Kristy ou Claudia.

– Très bien...

La mère de Simon n'avait pas l'air très convaincue, et c'était bien normal. Deux baby-sitters pour un seul enfant ? Alors qu'il risquait de faire la sieste pendant toute la garde ? C'était ridicule !

– Merci. Au revoir, madame Newton, me suis-je empressée d'enchaîner avant qu'elle ne change d'avis. Je vous rappelle ce soir.

J'ai vite raccroché et j'ai aussitôt téléphoné à Kristy.

– Salut ! Devine quoi ? Mme Newton vient de m'appeler pour me proposer un baby-sitting ! Super, hein ?

– Ta première vraie mission ! Trop cool !

– Sauf que... je ne peux pas y aller toute seule, mon père ne voudra jamais. Tu veux bien m'accompagner ? C'est mardi après-midi.

Silence au bout de la ligne.

– Kristy ?

– Je ne peux pas. Je garde Claire et Margot mardi.

– Mince...

– À moins que je les emmène chez Simon, ce serait sympa.

J'ai soupiré.

– Non, il est trop petit, il fait encore la sieste. Je vais demander à Claudia.

– Désolée, Mary Anne.

– Ce n'est pas ta faute.

Je n'avais pas franchement envie de téléphoner à Claudia et de tout lui expliquer. Elle qui me prenait déjà pour un bébé…

Je me suis assise par terre, adossée à mon lit. Je ne l'avais pas beaucoup vue depuis sa piscine-party. Enfin, si, je l'avais aperçue – en train de faire du vélo en compagnie de Frank Evans, ou assise sur son perron avec lui, ou en train de grimper dans sa voiture pour aller dieu sait où, toujours avec lui.

Claudia et Frank.

Frank et Claudia.

Je me demandais si c'était son petit ami.

Et si on avait le droit d'avoir un petit ami avant la cinquième.

Effectivement, j'étais sûrement un bébé pour me poser ce genre de questions.

Je me suis affalée encore un peu plus par terre, mais soudain j'ai entendu mon père rentrer du travail et je me suis levée d'un bond. Je téléphonerais à Claudia plus tard, j'avais plus urgent à faire.

– Papa ! ai-je crié en dévalant les escaliers. Tu peux m'emmener faire des courses cet après-midi ? J'aimerais acheter le cadeau de Kristy.

– Bien sûr. Et si on allait manger une pizza avant ?

– Super !

Pendant le déjeuner au restaurant, j'ai dit à mon père que Mme Newton m'avait appelée. Puis j'ai dû faire quatre magasins avant de trouver le cadeau idéal pour Kristy : un maillot de base-ball où je pouvais faire imprimer ce que je voulais. Le vendeur m'a aidée à faire mon choix et je suis ressortie avec un beau paquet pour ma meilleure amie. J'avais dépensé presque toutes mes économies, mais ça en valait la peine.

Une fois rentrée à la maison, je n'avais plus le choix. Il fallait que j'appelle Claudia pour lui demander de garder Simon avec moi. J'étais complètement stressée, et ce n'était pas bon signe. Ça n'aurait pas dû m'angoisser d'appeler une amie d'enfance. Pourtant, en décrochant le téléphone, j'avais les paumes toutes moites.

10
Claudia

Ma sœur ne m'adressait pratiquement plus la parole. Mes deux meilleures amies jouaient encore à la poupée et ricanaient dès qu'elles voyaient un garçon. Je me serais sentie vraiment seule si Frank n'avait pas été là.

Il m'avait téléphoné deux jours après la fête. Pour discuter. Comme j'ai une ligne personnelle, je pouvais lui parler tranquillement, sans sortir de ma chambre. Alors dites-moi donc comment Jane avait su qu'il m'avait appelée, hein ? Aucune idée. Mais en tout cas, j'avais à peine raccroché que je l'ai trouvée postée devant ma porte comme un vautour.

– C'était Frank ?

– Oui…

Je n'en revenais pas. Elle avait peut-être un don de voyance. Il faudrait que je creuse le sujet.

– Mmm…, a-t-elle marmonné.

J'attendais qu'elle ajoute quelque chose, mais elle a filé se terrer dans sa tanière.

Frank m'a rappelée le lendemain, et, le jour suivant, il est passé me chercher à la maison. Par chance, Jane n'était pas là, mais elle doit vraiment avoir des pouvoirs surnaturels, parce que, à peine rentrée, elle m'a questionnée :

– Alors, vous vous êtes bien amusés, Frank et toi ?

Ou alors elle avait des espions qui travaillaient pour elle.

Frank et moi, nous allions en ville boire des cocktails de fruits. (Dès qu'on se frôlait, tout se mettait à tourner autour de moi.) Nous flânions dans les magasins de disques. (Je devais me forcer pour détacher mes yeux de lui et m'intéresser un peu à ce qu'il y avait sur les présentoirs.) Nous faisions du vélo. Je grimpais derrière lui et je sentais ses cheveux bouclés me chatouiller la figure. Nous avions même été faire un tour de balançoire au square, comme des enfants. (C'est là que j'avais remarqué l'odeur délicieuse de sa peau chauffée au soleil.)

Dès que le téléphone sonnait, j'espérais que c'était lui.

Apparemment, dans la famille, personne ne partageait mon enthousiasme. Ils n'avaient rien contre lui, non. Mais j'avais vu Mimi froncer les sourcils en lui ouvrant la porte et mes parents échanger un regard alors que je courais dans ma chambre prendre son appel. Ils n'avaient pas besoin de dire quoi que ce soit : je savais qu'ils me trouvaient trop jeune pour avoir un copain garçon. Et qui en plus était visiblement plus qu'un simple copain.

Un soir, alors que Jane était partie à une conférence, et que papa, maman et Mimi lisaient dans le salon, j'étais assise sur le perron – je ne lisais pas, je ne pensais à rien – quand j'ai vu un vélo surgir dans Bradford Alley. Frank s'est arrêté devant chez moi et est descendu de sa bicyclette.

– Salut !

Je me suis efforcée d'avaler la grosse boule qui s'était formée dans ma gorge dès son apparition.

– Salut, ai-je répondu.

Ouf, j'avais une voix plutôt normale.

– Qu'est-ce que tu fais ?

J'ai haussé les épaules.

– Rien de spécial.

– Claudia ? a crié mon père de l'intérieur. Qui est-ce ?

– Frank.

Et je l'ai fait entrer dans le salon. Mes parents et ma grand-mère n'avaient pas eu l'occasion de discuter vraiment avec lui jusque-là. Ils se sont montrés très polis. Très très polis. Papa lui a posé quelques questions polies sur sa famille, les vacances, ses passions. Frank a expliqué poliment ce que faisaient ses parents, qu'il avait un frère et une sœur, que la plupart de ses amis étaient partis cet été, et qu'il avait monté un groupe de rock. (Mimi a paru surprise en entendant cela.) Puis il a ajouté :

– Il paraît que Claudia est très douée, j'aimerais beaucoup voir ce qu'elle peint.

– Bien sûr ! me suis-je exclamée, flattée. Viens dans ma chambre, je vais te montrer.

Devant l'air horrifié de ma mère, je lui ai glissé :

– Je laisserai la porte ouverte.

Ça n'a pas eu l'air de la rassurer. Comme elle se levait, j'ai craint qu'elle ne dise : « Je vous accompagne. » Mais elle a simplement annoncé :

– Je monte aussi. J'ai une tonne de linge à ranger.

Et elle nous a suivis dans les escaliers, mais s'est arrêtée dans sa chambre.

En entrant dans la mienne, Frank s'est exclamé :

– Waouh ! Cool !

Il a regardé mes dessins, mes peintures, mes différents projets (il y en a un peu partout, j'avoue), puis a déclaré :

– Je suis vraiment impressionné. Tu as beaucoup de talent.

Il s'est penché pour examiner un croquis de ma main, sans le toucher. En plus, il avait deviné que j'avais horreur qu'on tripote mes créations.

– Merci, ai-je dit.

– Comment…

Il s'est tu un instant, cherchant ses mots.

– Comment ça te vient, tout ça ?

J'ai haussé les épaules, et je suis sûre que j'ai rougi légèrement.

– Je ne sais pas. C'est… c'est en moi.

Frank a jeté un regard vers le couloir pour vérifier que ma mère n'était pas dans les parages, puis il s'est approché de moi. Si près que je sentais son bras frôler le mien. Et j'avais très très chaud.

Du coup, je me suis mise à parler, sans m'arrêter. Je lui ai parlé de mes cours d'arts plastiques. Je lui ai montré mon dossier. Il a étudié chaque planche avec attention en murmurant : « Tu es vraiment douée », ou : « On croirait une photo ! »

Je me suis levée pour prendre un croquis sur mon panneau en liège.

– Si celui-ci te plaît, je te le donne.

J'avais dessiné une mésange qui vient souvent se percher sur une branche, juste devant ma fenêtre.

– C'est vrai ? Je peux le prendre ?

– Oui, c'est pour toi.

Je l'imaginais, une fois chez lui, glisser la feuille entre les pages de... Mmm, je ne savais pas ce qu'il lisait. Bref, il le glisserait dans un livre pour le conserver précieusement toute sa vie.

– Merci !

J'ai entendu ma mère qui rôdait dans le couloir, aussi ai-je proposé :

– Tu veux aller dehors, regarder les étoiles filantes ?

– D'accord.

Nous étions assis côte à côte sur le perron depuis dix minutes (sans avoir vu une seule étoile) quand il s'est soudain écrié :

– Mince ! Je suis venu en vélo, mais maintenant qu'il fait noir, je ne vais pas pouvoir rentrer.

Du coup, il a dû téléphoner à ses parents pour leur demander de venir le chercher, ce qui a un peu gâché la soirée, mais ce n'était pas grave. Je savais que, une fois couchée dans mon lit, je me rappellerais la chaleur de son bras contre le mien, sa voix douce s'extasiant sur mes dessins.

M. Evans était en train de mettre le vélo de son fils dans le coffre quand Jane est rentrée. Plantée sur le trottoir, les bras chargés de livres, elle s'est tournée vers Frank. Il lui a adressé un signe de la main avant de monter en voiture.

Elle n'a pas répondu. J'ai tout de même proposé, avec un enthousiasme forcé :

– Hé, tu veux regarder les étoiles filantes ?

Elle a monté les marches sans un mot et s'est engouffrée à l'intérieur de la maison.

Dire qu'à certains moments j'aurais tout donné pour que ma pipelette de sœur se taise. Mais là, c'était différent. J'avais envie de lui crier quelque chose, seulement elle n'aurait pas répondu. C'était sa façon de se venger et ça fonctionnait parfaitement.

J'avais l'impression d'être l'héroïne d'un conte de fées, partagée entre deux mondes – je quittais la réalité pour vivre une parenthèse enchantée, puis quand j'en sortais, je m'apercevais que rien n'avait changé. Le temps que je passais avec Frank était magique, mais dès qu'il partait je me retrouvais coincée entre Jane Bouche-Cousue, Mimi Sourcils-Froncés et mes parents à l'air réprobateur.

Un après-midi, j'étais devant mon chevalet, espérant un coup de fil de Frank quand je me suis souvenue que, l'an passé, avec Kristy et Mary Anne, nous avions fui la canicule pour nous réfugier dans la fraîcheur d'une salle de cinéma en compagnie de ma grand-mère. Assises au dernier rang, nous nous étions tordues de rire devant cette histoire de chats et de chiens qui pourchassaient d'affreux rats dans le métro de New York. Un vrai navet, et pourtant qu'est-ce qu'on s'était amusées !

J'ai reposé mon pinceau pour réfléchir un instant.

Qu'est-ce que ça pouvait bien me faire que Mary Anne joue à la poupée ou que Kristy soit allergique aux garçons ?

Mes amies me manquaient. Et si je les appelais ? Je pourrais leur proposer d'aller au cinéma, rien que toutes les trois. À condition que le père de Mary Anne soit d'accord.

J'ai tendu la main vers le téléphone au moment même où il se mettait à sonner.

– Allô ? (Je me suis retenue de dire « Allô, Frank ? »)

– Salut, c'est Mary Anne.

J'ai réussi à cacher ma déception pour répondre :

– Ça alors ! J'allais justement t'appeler.

– C'est vrai ?

– Oui, oui, mais vas-y d'abord.

– OK. Euh... je me demandais si tu pourrais venir garder Simon Newton avec moi la semaine prochaine. Mardi après-midi.

– Avec toi ?

– Oui, à cause de mon père (La pauvre ! Il ne la laisse pas respirer.), je n'ai pas le droit de faire du baby-sitting toute seule.

– Même la journée ? n'ai-je pu m'empêcher de demander.

Il y a eu un bref silence à l'autre bout du fil.

– Oui. Je sais que c'est idiot, mais c'est comme ça.

– Désolée, Mary Anne, je ne voulais pas te faire de peine. Il faut garder Simon l'après-midi, c'est ça ?

– Oui, ça ne devrait pas être bien difficile... Je te donnerai la moitié de l'argent.

– Ce n'est pas le problème.

– Tu ne peux pas venir ?

– Si, si. Dis à Mme Newton que c'est d'accord.

– OK... et toi, tu m'appelais pour quoi ? m'a-t-elle demandé.

Oups... Finalement, je n'avais plus trop envie d'aller au cinéma avec elle.

– Pour rien, je voulais te parler, comme ça.

Silence.

– Ah bon... Encore merci de bien vouloir m'accompagner chez les Newton.

– De rien.

C'était affreux. Nous étions toutes les deux horriblement mal à l'aise.

– Hé, Claudia ?

– Mmm ?

– Ça fait quoi d'avoir un petit ami ?

J'ai éloigné le combiné de mon oreille pour le regarder fixement en écarquillant les yeux. Ça n'était pas tant la question en elle-même mais la façon de la poser. Si j'en avais parlé avec Dori, elle aurait paru excitée, impatiente, comme si elle avait hâte d'en avoir un aussi et qu'elle se renseignait pour le jour où ça arriverait. Mais Mary Anne avait un ton plaintif, misérable, comme si elle avait à la fois peur de ne jamais avoir de petit ami et peur d'en avoir un.

– Claudia ?

Ah oui, je ne lui avais pas répondu.

– Désolée.

– Tu me trouves trop indiscrète ? s'est-elle inquiétée.

J'ai soupiré.

– Non, non, pas de problème. Mais je ne sais pas vraiment quoi te répondre. J'imagine que c'est différent selon les personnes.

– Alors Frank est vraiment ton petit ami ?

Oh non ! Dans deux secondes, elle allait se mettre à chantonner : « Ouh, la menteuse ! Elle est amoureuse ! »

– Tu sais quoi, Mary Anne ? Je n'ai pas vraiment envie d'en parler.

– C'est trop dur ?

– Trop dur ?

– Tu sais, de sentir que tu grandis, tout ça…

Non, mais j'avais l'impression d'entendre son père !

– Écoute, qu'est-ce que tu veux vraiment savoir ? ai-je demandé, agacée. Tu t'intéresses à Frank et moi ou c'est autre chose ?

– Je ne sais pas.

– Dans ce cas…

– Bon, eh bien, on se retrouve mardi chez Simon, à deux heures et demie.

– OK, salut.

En raccrochant, je me suis laissée tomber sur mon lit.

Le mardi matin, j'ai essayé de me motiver. Il fallait que je sois patiente avec Mary Anne. Elle n'avait jamais connu sa mère et ce n'était pas sa faute si son père était aussi sévère. Je me suis efforcée de chasser l'image du maillot de sirène de mon esprit.

L'après-midi, j'ai dit au revoir à Mimi avant de partir chez les Newton. J'ai croisé Mary Anne en chemin.

– Je sais que c'est ridicule, deux baby-sitters pour un seul enfant…, m'a-t-elle dit.

Elle a écarté les mains en signe d'impuissance.

– Mais je n'y peux rien.

– Ne t'en fais pas, Mary Anne. En plus, j'adore garder Simon.

Simon Newton habitait dans notre rue, c'était un petit garçon gentil, toujours de bonne humeur et agréable. Même si, ces derniers temps, son caractère avait un peu changé car il venait d'apprendre qu'il allait devenir grand frère. Sa mère attendait un bébé pour le mois de novembre. Simon essayait de bien le prendre, mais il avait tout de même du mal à imaginer qu'il n'allait plus être l'enfant unique et chéri de la famille.

Lorsque j'ai sonné à la porte, Mme Newton a ouvert, un doigt posé sur les lèvres.

– Simon vient de s'endormir. À mon avis il se réveillera dans une heure environ.

J'ai jeté un regard à Mary Anne qui était écarlate.

– Je suis désolée qu'on doive être deux, mais...

Elle a de nouveau écarté les mains.

– Ne t'inquiète pas. Simon est ravi d'avoir deux baby-sitters pour lui tout seul !

Mme Newton a pris son sac à main.

– Bien, je n'en ai pas pour longtemps. J'ai juste un rendez-vous chez le médecin. Voilà mon numéro...

Elle a désigné un morceau de papier sur la table de la cuisine.

– ... et celui de mon mari. Pour le goûter, il y a du pain et du beurre dans la cuisine si Simon a faim quand il se réveille. Et, puisqu'il fait beau, il peut sortir jouer dehors.

Mary Anne et moi, nous avons hoché la tête. Cinq minutes plus tard, Mme Newton était partie et nous étions assises côte à côte sur le canapé, désœuvrées.

Ça n'a pas duré longtemps.

– Hé, ho ! a crié une petite voix du haut des escaliers.

– Simon ! Qu'est-ce que tu fais debout ?

– Je n'arrive pas à dormir. Maman m'a dit que deux baby-sitters venaient me garder alors je voulais voir qui c'était.

Nous avons souri.

– Eh bien, nous voilà ! a annoncé Mary Anne.

Simon l'a dévisagée avec attention. Puis il a déclaré d'un ton très sérieux :

– Je te connais, toi. Tu habites de l'autre côté de la rue, pas vrai ?

– Tout à fait, et je m'appelle Mary Anne.

– Je dois retourner au lit ou je peux me lever ?

J'ai consulté mon amie du regard. C'était son baby-sitting. Je m'attendais à ce qu'elle renvoie Simon se coucher pour suivre les instructions de sa mère, mais à ma grande surprise, elle a dit :

– Tant pis pour la sieste. Allez, viens. On va goûter puis on ira jouer dehors.

– Super !

Simon s'est rué dans la cuisine, s'est perché sur un tabouret et a fouillé dans le placard pour en sortir un paquet de cookies au chocolat.

– Miam, miam !

Mais Mary Anne lui a gentiment pris les gâteaux des mains pour les ranger.

– Bien essayé, mais ta maman a dit que tu devais manger une tartine beurrée.

Elle a ouvert le frigo.

– Ou si tu veux, tu peux prendre une pomme ou du fromage.

– Et un beignet ? a-t-il demandé plein d'espoir.

– Une compote ? a répliqué Mary Anne.

Ça m'a fait sourire.

Finalement, Simon a accepté la compote. Il l'a mangée lentement, puis nous sommes sortis dans le jardin, où il y a pas mal de jeux. J'ai pris le téléphone sans fil au cas où Mme Newton appellerait.

Simon a fait du toboggan. De la balançoire. De l'escalade. Mary Anne restait juste derrière lui, sans jamais le quitter des yeux. Au bout d'un moment, il a dit qu'il était fatigué.

– Tu veux rentrer ?

Il a hoché la tête, tout ensommeillé.

– Je crois qu'il est temps de finir ta sieste, a déclaré mon amie en le portant à l'étage.

Pendant qu'elle le couchait, je me suis assise sur le canapé, sans trop savoir quoi faire. Elle lui chantait une berceuse, elle en avait pour un moment. Alors j'ai décroché le téléphone pour appeler Frank. Je sais que ce n'est pas bien d'occuper la ligne des clients, mais je m'ennuyais trop.

– Salut ! m'a-t-il répondu d'une voix douce comme du miel.

– Qu'est-ce que tu es en train de faire ?

– Je m'entraîne. Ce soir, on répète avec le groupe. Et toi ?

– Je fais un baby-sitting avec Mary Anne. Elle est montée mettre le petit au lit pour la sieste.

– Tu veux venir assister à la répét', ce soir ? On fait ça chez Ryan.

– Oh oui ! Faut juste que je demande à mes parents.

– Cool. Et sinon, qu'est-ce que tu as fait d'autre aujourd'hui ?

J'ai commencé à lui raconter mon cours d'arts plastiques, quand, soudain, j'ai entendu Mary Anne redescendre. J'ai consulté ma montre : j'étais au téléphone depuis vingt minutes ! Le temps filait tellement vite avec Frank.

Elle avait dû comprendre que j'étais en ligne avec lui. Pour ne pas me déranger, elle s'est éclipsée discrètement dans la cuisine et a fermé la porte. Sans un mot.

11

Lucy

Un déménagement, c'est à la fois la fin d'une époque et le début d'une autre, un adieu et un commencement.

Tôt ce matin-là, je me suis réveillée pour la dernière fois dans notre appartement. Allongée dans mon lit, je regardais autour de moi les murs nus, la fenêtre sans rideaux, lorsque mon père a frappé à la porte.

– Lucy ? Les déménageurs seront là dans une heure.

Je me suis préparée en vitesse. Pas parce que je craignais qu'ils me trouvent en pyjama, mais parce que j'avais hâte de quitter New York et mon ancienne vie. Après un bref passage par la salle de bains, j'ai filé dans la cuisine. Elle était complètement vide. Il ne restait plus rien du tout à manger. Rien dans les tiroirs, rien dans les placards, rien sur le plan de travail. La veille au soir, nous avions dîné au restaurant.

– On va au *Clair de Lune* ? a proposé ma mère.

C'était un café au coin de notre rue.

– Avec plaisir !

Alors que nous attendions tous les trois nos tartines et nos œufs brouillés, j'ai demandé :

– Tu crois qu'il y a des endroits de ce genre à Stonebrook ?

– Peut-être pas exactement pareils, mais il y a au moins un café, a affirmé papa.

– Il y a des restaurants, quand même ? me suis-je inquiétée.

– Évidemment, Lucy, m'a rassurée ma mère. On part dans le Connecticut, pas au fin fond du Far West !

Nous avons payé la note. En sortant, j'ai jeté un dernier regard à mon café préféré, puis nous sommes retournés chez nous.

– Les déménageurs sont là, nous a informés Thomas, l'un des portiers. Ils sont arrivés il y a dix minutes, je les ai fait monter.

– Merci, ont répondu mes parents.

En sortant de l'ascenseur, nous avons découvert que les déménageurs étaient déjà en train d'emporter nos meubles pour les empiler dans le couloir.

– Bien, il est temps qu'on s'en aille, je crois, a annoncé mon père, sinon on va les gêner.

Nous avons donc pris nos sacs et les affaires dont nous avions besoin pour le trajet en voiture. Papa et maman ont échangé quelques mots avec les déménageurs puis nous avons dit au revoir à notre appartement.

En descendant dans le hall, nous avons trouvé un petit groupe qui nous attendait devant la réception :

Twila, Jeremy et leurs parents, les Goldsmith et les Barkan.

Twila s'est jetée dans mes bras en pleurant :

– T'en va pas, Lucy ! Reste là !

Sa mère l'a détachée doucement.

– Twila, qu'est-ce que je t'ai expliqué ?

La petite fille a fait la grimace avant de se reprendre :

– Je voulais dire bon voyage et bonne installation dans ta nouvelle maison.

J'ai souri.

– Merci.

Nous avons embrassé tout le monde.

– Revenez nous rendre visite bientôt, a proposé M. Barkan.

– Vous pourrez coucher chez nous ! s'est exclamée Twila.

– Et vous, vous êtes les bienvenus dans le Connecticut, a renchéri maman.

– Quand vous voulez, a complété papa.

Quelques minutes plus tard, nous étions dans la voiture et en route pour Stonebrook !

– Dis au revoir à New York, a suggéré papa.

Avec plaisir. Au revoir, New York. Adieu, Laine. Et bon débarras.

– Bye bye, New York ! ai-je lancé sans la moindre mélancolie.

Nous avons traversé le pont George-Washington pour la dernière fois, puis pris l'autoroute. La ville était derrière nous, il n'y avait plus que des arbres le long de la voie.

Je me suis endormie.

J'ai rêvé que j'étais à une fête chez Laine, que je buvais du soda bien sucré en mangeant des gâteaux. Et quand je me suis réveillée, j'avais le cafard.

– Où on est ? ai-je demandé d'une voix ensommeillée en me frottant les yeux.

– Presque arrivés, m'a répondu maman. Dans une demi-heure, on est à Stonebrook.

Mon père avait pris le volant tandis que ma mère regardait le chemin sur une carte.

– Encore une demi-heure ! C'est au bout du monde ! ai-je gémi.

Mes parents ont échangé un regard.

– Rendors-toi, ma puce, m'a conseillé maman.

J'étais assise sur la banquette, les bras croisés.

– La ceinture de sécurité me gêne.

– Tu as faim ? s'est inquiété mon père en jetant un coup d'œil dans le rétroviseur.

– Non, je te dis que c'est la ceinture qui est trop serrée.

– Et moi, je t'ai demandé si tu avais faim.

J'ai soupiré.

– Un peu.

Nous sommes sortis de l'autoroute et nous avons trouvé un supermarché immense, bien plus grand que ceux de New York – surprenant, vu que nous étions au milieu de nulle part !

Maman et moi, nous avons pris de quoi déjeuner pendant que papa faisait quelques courses pour remplir les placards et le frigo de la nouvelle maison.

Nous sommes remontés en voiture et nous avons mangé en regardant les pins défiler derrière la vitre (ce sont les seuls arbres que je reconnais, désolée).

J'étais en train de finir mon sandwich quand j'ai aperçu un grand panneau vert indiquant : STONEBROOK PROCHAINE SORTIE.

– On est presque arrivés, a annoncé ma mère.

Mon cœur s'est emballé.

Une minute plus tard, papa avait quitté l'autoroute pour une route plus petite, bordée de stations-service et de garages.

– On pourra avoir un chien ? ai-je demandé.

– Peut-être, a répondu ma mère.

– On verra, a enchaîné mon père.

Je n'avais pas vraiment envie d'un chien, c'était uniquement pour tester leur réaction, maintenant que nous étions à la campagne.

J'étais en train de me dire que le paysage n'était franchement pas terrible lorsque mon père a pris à gauche, puis encore à gauche et enfin à droite, et nous nous sommes retrouvés face à un grand panneau : BIENVENUE À STONEBROOK.

Un vrai village de carte postale, à l'opposé de la route hideuse où nous roulions quelques instants plus tôt.

– On va habiter ici ? me suis-je étonnée.

– Eh oui, a confirmé papa.
– Ça te plaît ? m'a questionnée maman.
J'ai acquiescé.
– C'est notre rue ?
De chaque côté, il y avait de belles maisons entourées d'immenses pelouses bien vertes et de grands arbres. Des arbres, encore des arbres, des arbres partout. Des pins et des chênes (enfin, je crois, je ne suis pas très douée, comme je vous l'ai déjà dit). C'était une jolie rue ombragée. En baissant ma vitre, j'ai trouvé que ça sentait bon, un peu comme au milieu de Central Park.
– Non, ça n'est pas notre rue, mais ça y ressemble. On va faire un petit tour de la ville avant d'aller à la maison.
Papa a tourné à droite et j'ai découvert le centre-ville de Stonebrook. L'avenue était beaucoup plus large que je ne l'imaginais, bordée de boutiques, de restaurants, de magasins et coupée par de nombreuses petites rues où il y avait encore d'autres commerces. J'ai repéré la bibliothèque, un cabinet médical, une synagogue, une banque, une église et… un café !
– Hé, il y a un grand magasin ! me suis-je écriée alors que nous passions devant un bâtiment de briques qui portait l'enseigne BELLAIR.
– Tu vois ? Ce n'est pas bien différent de New York, a dit ma mère.
– Sauf qu'il n'y a ni bus, ni métro, ni taxi…
– Bien sûr que si, il y a des bus, a corrigé maman.
– Et des taxis, a renchéri, papa.

Je ne perdais pas une miette de ce qui défilait sous mes yeux, complètement ravie.

– Je n'ai pas envie que ça ressemble à New York, ai-je avoué.

– Oui, tu as raison, a reconnu mon père. On a tous besoin de changement.

Il a remonté ce qui devait être l'artère principale de Stonebrook jusqu'à ce que les commerces cèdent la place à de petites maisons. Il a tourné, viré deux ou trois fois avant d'annoncer :

– Nous y voilà. Fawcett Avenue.

Ici, les maisons semblaient un peu plus petites que celles que nous avions vues en arrivant, mais elles étaient aussi coquettes, avec de grands jardins fleuris. J'ai aperçu quelques enfants, et – la preuve qu'il y en avait d'autres – des jeux, des jouets, des vélos et des casques.

– C'est laquelle, la nôtre ? ai-je voulu savoir.

– Numéro soixante et un.

J'ai guetté ce numéro et annoncé :

– C'est là !

À nouveau, mon cœur battait la chamade. J'allais découvrir ma nouvelle maison !

Papa s'est garé dans l'allée d'une maison qui paraissait vide. (Bah, évidemment, puisqu'elle était vide.) En sortant de la voiture, je me suis étirée. J'ai marché sur la pelouse.

– C'est génial ! Cette fois, on n'habite pas en face d'un parc, mais dans un parc !

Mes parents m'ont souri.

La maison était blanche, avec des volets noirs et une porte bleue. Un petit sentier pavé menait jusqu'au perron.

– C'est super mignon !

– Et le jardin continue derrière ! s'est écrié mon père.

– Tu veux voir ta chambre ? a proposé ma mère.

Elle a ouvert la porte et, pour la première fois, je suis entrée dans notre maison. Ça sentait un peu le renfermé, mais c'était tout propre. J'ai fait le tour du rez-de-chaussée : le salon, la salle à manger, la cuisine, et encore une autre pièce et une petite salle de bains.

– Waouh ! Et dire qu'il y a aussi un étage !

J'ai suivi mes parents au premier.

– Voilà ta chambre. Imagine-la avec des rideaux, un tapis et toutes tes affaires, bien sûr.

C'est ce que j'ai fait. J'ai regardé par la fenêtre : des arbres, de l'herbe, un écureuil, une fille qui passait à vélo, un chat dans l'allée…

– C'est quoi, ce bruit ? ai-je demandé.

– Quel bruit ? s'est étonné papa.

– Là, ce drôle de bourdonnement-ronronnement ?

– Je pense qu'il s'agit d'un criquet, s'est esclaffée ma mère.

– J'espère qu'il est dehors et pas à l'intérieur.

Nous avons refait le tour de la maison avant de partir explorer notre jardin, puis notre rue. Soudain, mon père s'est écrié :

– Tiens, voilà les déménageurs !

Nous sommes vite rentrés pour les accueillir.

Nous avons eu un après-midi bien rempli. Les déménageurs ont déchargé le camion, il fallait leur indiquer où poser tel meuble ou tel carton.

Un groupe d'enfants s'est attroupé sur le trottoir pour voir ce qui se passait. « Des baby-sittings en perspective », ai-je pensé. Mais il y avait sans doute d'autres filles de mon âge dans le quartier qui gardaient les petits. Et j'avais hâte de les rencontrer.

Une fois les déménageurs repartis, alors que mes parents et moi, nous contemplions le bazar ambiant, on a sonné à la porte. Nous nous sommes regardés. Qui ça pouvait bien être ? Nous ne connaissions pourtant personne à Stonebrook.

– On répond ? ai-je demandé, un peu inquiète. (Dans les films d'horreur, ce n'est jamais une bonne idée d'ouvrir la porte quand on ne sait pas qui c'est.)

Ma mère a souri.

– Bien sûr.

Nous sommes allés ouvrir tous les trois ensemble et nous nous sommes retrouvés face à un couple avec une fillette d'environ deux ans.

– Bienvenue dans le quartier, a dit la femme. Je me présente, Stéphanie Perk, et voici mon mari Tim et notre fille Lana.

L'homme nous a tendu une boîte de gâteaux.

– Un petit cadeau pour fêter votre arrivée.

– Merci ! avons-nous répondu en chœur, très surpris.

Alors finalement, les gens étaient aussi gentils ici qu'à New York.

Plusieurs personnes nous ont rendu visite au cours de l'après-midi. J'ai beaucoup apprécié les Hanson, qui nous ont apporté des prospectus de traiteurs pour se faire livrer à manger à domicile.

– Ça existe, ici aussi ? me suis-je étonnée. On pourra commander le dîner de ce soir, comme à New York.

C'est ainsi que nous avons pris notre premier repas dans notre jardin, sur nos chaises longues toutes neuves.

– J'ai l'impression de manger au milieu des bois, ai-je remarqué.

Puis après une courte pause, j'ai ajouté, un peu anxieuse :

– Vous croyez qu'il y a des ours dans le coin ?

Mon père a failli s'étouffer de rire.

– Non, ne t'inquiète pas pour ça, ce n'est vraiment pas la région !

Ce soir-là, je me suis couchée dans ma nouvelle chambre, pour passer ma première nuit à Stonebrook. Comme il n'y avait pas encore de rideaux aux fenêtres, la lune éclairait ma couette. Immobile dans mon vieux lit, je tendais l'oreille. Alors que je m'attendais à un silence de plomb, j'ai découvert qu'il y avait beaucoup de bruits dans la nature. Des pépiements, des bruissements, des caquètements, des bourdonnements (je croisais les doigts pour que toutes ces bestioles soient dehors et pas dans ma chambre), puis j'ai distingué un cri que, même moi, j'ai reconnu : le hululement d'une chouette. C'était exactement comme dans les films : hou-hou ! hou-hou !

J'allais l'entendre souvent et, au fur et à mesure, ce hou-hou deviendrait aussi familier et rassurant pour moi que le concert de Klaxon ou le grondement des camions-poubelles de New York. Ce serait ma nouvelle berceuse de Stonebrook.

12

Kristy

Un matin de juillet, alors que mon anniversaire était encore loin, ma mère et moi, nous avons eu une conversation à ce sujet.

MAMAN : Tu as réfléchi à ce que tu voulais faire pour tes douze ans ?

MOI : Comment ça ?

MAMAN : Tu ne veux toujours pas faire de fête ?

(J'avais été claire : après la piscine-party de Claudia, j'avais décrété que je ne voulais rien organiser.)

MOI : Non.

MAMAN : On va quand même le fêter en famille, non ?

MOI : Ah oui, évidemment.

MAMAN : Tu veux sortir ? Qu'est-ce que tu aimerais ?

MOI : Simplement dîner à la maison. Entre nous. Avec Mary Anne. Et peut-être Claudia.

MAMAN : Tu es sûre ? Tu ne veux pas prévoir quelque chose de spécial ? Pique-niquer sur la plage, par exemple ?

MOI : Non, non. Ici, ce sera très bien.

(Comme ça, si mon père comptait me faire une visite surprise pour mon anniversaire, il nous trouverait à la maison.)

MAMAN : Bon, d'accord, un dîner à la maison, en famille. Le jour même de ton anniversaire ?

MOI : Ouaip.

MAMAN : Bien, je vais appeler Jim pour voir s'il est libre. Ce serait chouette si Andrew et Karen pouvaient venir aussi.

Je ne sais pas quelle tête j'ai fait à ce moment précis, mais en tout cas, ma mère a repris, d'un ton sûrement plus sec qu'elle n'en avait l'intention :

– Quoi ? Jim n'est pas invité ?

Eh bien, non. Je n'avais aucune envie qu'il soit là pour mon anniversaire. Surtout si mon père venait.

MOI (super mal à l'aise) : Je préférerais fêter ça en famille.

MAMAN : Mais tu invites Mary Anne et Claudia, pourtant…

MOI : Je sais…

Ma mère s'est levée pour mettre la vaisselle du petit déjeuner dans l'évier. Quand elle est revenue s'asseoir, elle paraissait moins tendue.

MAMAN : Bien, c'est ton anniversaire, ma puce. Tu invites qui tu veux.

J'ai cependant eu l'impression qu'elle ne me disait pas tout. Était-elle au courant que j'avais écrit à mon père ? Je ne lui en avais pas parlé, mais elle avait pu apercevoir la lettre dans le courrier, ou alors mon père l'avait peut-être appelée.

MOI (après un long silence) : Bon, d'accord. Merci. Je vais en parler à Mary Anne et Claudia. Je te dirai si elles peuvent venir.

Comme vous pouvez le constater, mon anniversaire était un sujet sensible.

Et ça ne s'est pas arrangé quand j'ai proposé à Claudia de venir. Je l'ai croisée au square un après-midi où je gardais Claire et Margot. Elle était avec Simon Newton.

– Oh oui, merci, avec plaisir, a-t-elle répondu, visiblement ravie d'être invitée. C'est quand ?

– Le jour de mon anniversaire. Vendredi 20.

Son sourire s'est évanoui.

– Oh… je…

Elle s'est soudain rapprochée de Simon, qui était pourtant bien tranquille sur la balançoire et qui ne lui avait rien demandé.

– … je ne peux pas. Je suis prise ce soir-là. Je dois dîner chez Frank, ses parents font un barbecue. J'ai déjà dit oui, je ne peux pas annuler. Désolée.

– C'est pas grave, ai-je répliqué avant d'extirper Claire et Margot de la cage à poules pour quitter le square malgré leurs cris de protestation.

Claudia voyait Frank presque tous les jours depuis son anniversaire. Et elle avait passé à peine cinq minutes avec Mary Anne et moi. D'accord, je ne savais pas ce que c'était d'avoir un petit ami, mais je ne voyais pas en quoi ça l'obligeait à laisser tomber ses copines d'enfance. Elle ne voulait même pas venir à mon anniversaire ? J'étais blessée, vexée d'être détrônée ainsi, mais pas question de l'avouer.

Ma fidèle Mary Anne serait présente, je l'avais invitée l'après-midi même et elle avait répondu :

– Je ne manquerais pour rien au monde un de tes anniversaires ! Tu es toujours venue aux miens et vice versa.

– J'ai plus souvent fêté mon anniversaire avec toi qu'avec mon père, n'avais-je pu m'empêcher de remarquer.

– C'est bizarre... Hé, Kristy ? Kristy ? Hou-hou !

Elle a agité la main devant mes yeux.

– Quoi ? Oh, désolée...

– Tu pensais à quoi ?

J'ai rougi.

– Hum... c'est idiot, je sais. Et même complètement ridicule. Mais j'espère que mon père se souviendra de mon anniversaire cette année.

– Comment ça ?

– En m'envoyant une carte ou un cadeau... ou mieux encore en me faisant la surprise de venir.

– Kristy !

– Je sais que c'est ridicule.

Mary Anne a froncé les sourcils.

– Mm, tu le penses vraiment ?

– Oui, oui ! ai-je assuré.

Mais dans le fond, je ne pouvais pas m'empêcher d'espérer.

L'été suivait son cours, avec son lot de baby-sittings, d'après-midi à la plage et de matchs de base-ball. Et toujours pas de nouvelles de mon père. Ça ne m'inquiétait pas. Enfin, pas trop. S'il voulait me faire une surprise, c'était normal qu'il ne me contacte pas avant, non ?

Et puis, sans que je m'en rende compte, le 20 août est arrivé.

– Joyeux anniversaire ! Joyeux anniversaire !

J'ai été réveillée par David Michael qui a débarqué dans ma chambre en ouvrant ma porte à la volée (j'ignore s'il avait frappé parce que je dormais profondément) et a sauté sur mon lit.

– Joyeux anniversaire !

Bientôt, maman, Samuel et Charlie l'ont rejoint.

– Bienvenue dans le monde merveilleux de l'adolescence ! a annoncé Samuel.

Ma mère a levé les yeux au ciel.

– Aïe, aïe, trois ados à la maison !

– Les filles à l'adolescence, elles sont encore pires que les garçons, a affirmé Charlie.

Je lui ai donné une tape.

– Tu as lu ça dans *Grand-Frère magazine* ?

Il a haussé les épaules avec un sourire malicieux.

– Allez, viens, a dit maman. On a une surprise pour toi !

– Si tôt ?

Je me suis penchée pour consulter mon réveil : 7 h 42. Mon père était peut-être arrivé pendant la nuit ?

J'ai enfilé ce qui me tombait sous la main, et une fois en haut de l'escalier, j'ai demandé :

– Je peux descendre ?

D'en bas, j'ai entendu David Michael répondre :

– Ouiiii !

Puis :

– Et voici la reine de la journée !

J'ai dévalé les marches pour faire irruption dans la cuisine.

– Joyeux anniversaire !

Je me suis arrêtée net.

Il y avait une jolie nappe vert anis, parsemée de petits confettis en forme de 12 et de gâteaux, avec des assiettes, des gobelets et des serviettes assortis et, au milieu, se dressait une pile de cartes et de cadeaux. La table était mise pour cinq.

Mon père n'était donc pas là. Mais peut-être que parmi tous ces paquets…

– Et voici la reine de la journée ! a répété mon petit frère en se hissant sur la pointe des pieds pour me mettre une couronne en plastique sur la tête.

J'ai ri.

– Merci ! Mais je croyais qu'on devait le fêter ce soir.

– Oui, a confirmé ma mère, ça n'empêche pas de te faire un petit déjeuner surprise. J'ai prévenu mon travail que j'aurais une heure de retard ce matin.

Elle nous a servi des œufs brouillés avec des saucisses et un délicieux gâteau. En me voyant scruter les paquets, Charlie a précisé :

– Ils sont vides. C'est juste pour décorer !

– C'est pas vrai ! a protesté David Michael. Y a des cadeaux dedans. Ouvre-les, Kristy. Vas-y !

– Tout ça, c'est de votre part ?

Maman a secoué la tête.

– Non, ils sont arrivés par la poste.

Ha ! Ha ! Mince, j'aurais aimé voir le colis de mon père pour noter sa nouvelle adresse en Californie, mais maman devait l'avoir jeté.

J'ai commencé par le paquet le plus petit.

– Celui-ci vient de tante Karin et oncle Wallace, a expliqué maman.

Une carte *Bon anniversaire à notre nièce préférée* accompagnait une petite boîte contenant un collier magnifique qui serait très bien allé à Claudia.

Le cadeau suivant venait de ma tante Lily et de mon oncle Neal, c'était un calendrier de base-ball.

J'avais également une carte contenant un billet de vingt dollars de la part de ma marraine et d'autres cartes de vœux de différents membres de la famille. Il y avait aussi un bracelet de la part de Jim, une casquette de base-ball (mon cousin Peter), un livre (ma grand-mère) et un autre (une amie de ma mère).

– Super ! ai-je commenté en alignant les cartes sur l'appui de fenêtre.

– Oh, j'allais oublier ! s'est écriée ma mère. Il y a autre chose. Où est-ce que je l'ai mise ?

Elle a quitté la cuisine et est revenue avec une grande enveloppe.

Je l'ai ouverte, les mains tremblantes... mais mon enthousiasme est vite retombé.

– Ce sont mes collègues de bureau, a précisé maman tandis que je sortais une carte géante signée par la trentaine de personnes qui travaillaient avec ma mère.

Je me suis efforcée de cacher ma déception. Après tout, la journée n'était pas finie. Qui sait ce qui pouvait se passer d'ici à la fête de ce soir ?

Plus tard, une fois ma mère partie, j'ai monté mon butin dans ma chambre. J'étais en train de tout admirer quand on a sonné à la porte.

– Kristy ! a braillé Charlie. C'est Claudia.

Des pas ont résonné dans l'escalier et mon amie est entrée dans ma chambre.

– Joyeux anniversaire ! a-t-elle lancé. Je suis vraiment désolée de ne pas pouvoir venir ce soir.

– Pas grave. Je comprends, ai-je marmonné (alors qu'en fait pas du tout).

Claudia m'a tendu un cadeau.

– C'est pour toi.

Elle l'avait emballé dans un papier turquoise et rose fait maison avec un joli nœud argenté.

– C'est super mignon, ai-je commenté en l'ouvrant avec précaution.

À l'intérieur, j'ai découvert un nécessaire de manucure.

– Tu as vu ? Tu peux te faire des motifs sur les ongles. Des fleurs, des étoiles, des cœurs et même des arcs-en-ciel, tout est expliqué dans le petit livret.

– Waouh ! me suis-je écriée.

ARGH. Quelle horreur.

– Waouh, merci.

– De rien.

Après son départ, Charlie a passé la tête dans l'entrebâillement de la porte.

– Qu'est-ce que c'est ?

Il s'est approché pour examiner le cadeau.

– C'est Claudia qui te l'a offert ?

J'ai acquiescé.

Il s'est esclaffé :

– Ma parole, à croire qu'elle ne te connaît vraiment pas !

J'ai ri. Mais j'étais tout de même contente qu'elle ait pensé à mon anniversaire. Elle m'avait aussi fabriqué une carte, ce qui m'a fait encore plus plaisir. Je l'imaginais, assise à son bureau, au milieu de tout son matériel, en train de préparer ça pour sa vieille copine.

L'après-midi est passé à une vitesse d'escargot. En apercevant la camionnette du facteur par la fenêtre, je me suis ruée en bas. Comme je l'espérais, il y avait d'autres cartes au milieu des publicités et des factures.

Une de la part des Pike.

Une des Newton.

Et une des Goldman.

Je les ai ajoutées à ma collection, en me disant que le meilleur était encore à venir.

Je n'ai jamais vu une journée passer aussi lentement. J'ai disposé toutes mes cartes sur mon bureau. Puis j'ai écrit des mots de remerciements. J'ai vu la mère de Frank venir chercher Claudia chez elle pour le barbecue. Et, enfin, ma mère est rentrée du travail. J'ai collé mon front à la vitre pour voir si elle était seule dans sa voiture. Hélas, oui.

Elle est sortie avec un énorme carton à gâteau dans les bras.

Je suis descendue à sa rencontre.

– Et maintenant, que la fête commence ! a-t-elle claironné.

Mary Anne est arrivée peu après. Elle s'est installée sur le perron avec David Michael pendant que maman et Charlie allumaient le barbecue. Foxy était assis bien sagement aux pieds de mon frère, guettant le moindre bout de viande qui pourrait tomber par terre.

Quand le téléphone a sonné, je me suis précipitée pour répondre.

– Joyeux anniversaire ! a lancé une voix grave. Alors, ça fait quoi d'avoir douze ans ?

– Jim ?

Mon cœur, qui battait la chamade, a repris son rythme normal.

– Ben… euh…, ai-je bafouillé.

Comme je ne savais vraiment pas quoi répondre à cette question idiote, j'ai dit :

– Merci pour le bracelet. Il est très joli. C'est vraiment gentil de ta part.

Et j'ai raccroché. Pendant que les steaks cuisaient, Charlie a demandé à la cantonade :

– Alors quel est l'anniversaire dont vous vous souviendrez toute votre vie ?

– La fois où maman a fait tomber mon gâteau, a aussitôt répliqué David Michael.

– L'année où on était en vacances en Floride et où on est allés voir un match de base-ball, a renchéri Sam.

– Celui où mon père avait fait venir un magicien à ma fête, est intervenue Mary Anne.

Je n'écoutais que d'une oreille. Car j'étais en train de faire des petits calculs dans ma tête (j'essayais de savoir à quelle heure mon père arriverait s'il était parti le matin de Californie, puis je comptais et recomptais les paquets pour voir s'il y en avait plus que de personnes présentes).

– Et toi, Kristy ? Ton plus beau souvenir d'anniversaire ? m'a demandé Charlie, me tirant brutalement de mes pensées.

– Oh…

D'habitude, j'ai horreur de ce genre de questions, mais là, je savais :

– Pour mes cinq ans. Vous vous souvenez ? Personne ne pouvait venir à ma fête. On avait invité Claudia, Mary Anne et d'autres enfants de ma classe.

Mais ils étaient soit en vacances, soit occupés ailleurs. Moi qui rêvais d'un vrai goûter d'anniversaire avec des jeux, un gâteau, des petits cadeaux et tout et tout. En plus, papa devait nous emmener au poney-club. Mais les parents ont téléphoné un à un pour décliner l'invitation. Qu'est-ce que j'ai pleuré ! Alors papa m'a dit de ne pas être triste, que, de toute façon, mon anniversaire serait un jour extraordinaire. Le jour J, au déjeuner, j'ai trouvé un mot dans mon assiette. Comme je ne savais pas encore lire, papa et maman l'ont déchiffré pour moi.

– Oui, je m'en souviens ! s'est exclamé Charlie. Papa t'avait préparé une chasse au trésor.

J'ai hoché la tête.

– Chaque indice me menait à un cadeau et, à la fin, j'ai trouvé un poney dans le jardin. Pour faire un tour sur son dos, comme j'en rêvais. Ce n'était pas exactement la fête dont je rêvais, mais…

Je revoyais encore le poney blanc et marron attaché à l'orme.

– J'ai vraiment pensé que papa était…

J'allais dire un magicien, mais je ne voulais pas vexer ma mère.

Heureusement David Michael m'a coupée :

– Et moi, où j'étais ?

– Tu n'étais pas encore né, a répondu Charlie.

– Ah bon…

Tous les regards se sont à nouveau tournés vers moi. Je contemplais l'orme rêveusement.

Maman a toussoté.
Sam est allé jeter un œil sur le barbecue.
– Eh bien…, a fait Mary Anne.
Nous avons mangé les grillades tous ensemble puis maman a attendu qu'il fasse nuit pour apporter le gâteau. Et j'ai vu la première étoile filante de la soirée juste au moment où je soufflais mes bougies. Je me suis dit que ça devait porter chance.
J'ai ouvert mes paquets, pleine d'espoir, en gardant un œil rivé sur la porte.
J'avais vraiment été gâtée. David Michael m'avait fabriqué un porte-clefs à l'école.
– Je l'ai fait tout seul, a-t-il précisé, tout fier.
Charlie m'avait acheté *Le Livre des records*, Sam, une nouvelle balle de base-ball et Mary Anne avait fait imprimer un maillot exprès pour moi (j'en avais les larmes aux yeux en le dépliant, pourtant je ne suis pas du genre à pleurer pour un rien). Enfin, ma mère m'a offert une montre.
– Maman ! me suis-je exclamée. C'est…
J'allais dire que c'était une folie parce que c'était trop cher, mais elle a agité la main en disant :
– Rien n'est trop beau pour ma fille chérie.
J'ai tendu la main pour ouvrir le paquet suivant, mais il n'y en avait plus. Je les avais tous déballés. J'ai jeté un œil par-dessus mon épaule. C'était sûr, mon père allait arriver d'un instant à l'autre. Ce serait pile le bon moment !
Mais ma mère s'est relevée en bâillant.

– Bon, il faut ranger, maintenant.

J'ai regardé fixement la porte, puis Mary Anne. Je n'avais pas besoin de parler. Elle s'est assise à côté de moi et m'a passé le bras autour du cou.

C'est ainsi que s'est achevée ma journée d'anniversaire.

13

Mary Anne

– Moi qui croyais que ces stupides étoiles filantes étaient censées nous porter bonheur, a marmonné Kristy d'une voix boudeuse alors que nous étions sur la terrasse au milieu des restes de son dîner d'anniversaire.

– Mmm... tu crois vraiment à ce genre de trucs ? ai-je demandé.

– Ben... je ne sais pas. Mais j'espérais que j'aurais...

– Un signe de ton père ?

Elle a haussé les épaules.

– Tu étais persuadée qu'il allait venir, hein ? ai-je insisté.

– J'avais envie qu'il vienne, en tout cas. Je le souhaitais de tout mon cœur.

J'ai pris une bougie sur son gâteau d'anniversaire et j'ai sucé le glaçage.

– Tu sais, chaque année, j'aimerais tellement que ma mère soit là pour mon anniversaire. Quand j'étais petite, je me disais qu'elle était présente mais invisible, qu'elle me regardait ouvrir mes cadeaux, jouer à des jeux, souffler mes bougies. Maintenant, ce que je voudrais, c'est pouvoir discuter avec elle. Lui raconter ce qui se passe à l'école. Rien d'extraordinaire… lui faire partager ma vie, quoi.

– C'est ce que j'essaie de faire avec mon père, quand je lui écris. Mais il n'a même pas reçu ma dernière lettre.

– On est vraiment bêtes de se gâcher la vie en espérant l'impossible, au lieu de profiter au maximum de ce qu'on a.

– Mon père aurait pu venir, a répliqué Kristy avec véhémence. Ce n'était pas impossible.

Puis elle s'est radoucie pour ajouter :

– Quand je l'imagine, il est comme la dernière fois qu'on s'est vus. Et toi, tu la vois comment, ta mère ?

– Je l'imagine comme sur une photo qui est dans la chambre de papa. Une photo de leur mariage. C'est drôle, elle est là, à mon goûter d'anniversaire avec sa robe blanche et son voile.

Kristy a souri, puis elle a soupiré :

– Heureusement que j'ai ma mère et mes frères, et toi, ton père.

– Et chacune une super amie sur qui compter.

– Ouaip.

Plus tard, en me couchant, j'ai regardé par la fenêtre pour voir si Kristy dormait. Sans doute. En tout cas, il n'y avait pas de lumière dans sa chambre.

J'ai levé les yeux vers le ciel, mais comme il n'y avait pas d'étoiles filantes, je me suis glissée sous ma couette en pensant à ma fameuse « journée spéciale Kristy » du lendemain. J'avais beau être triste pour mon amie, j'avais hâte qu'elle découvre tout ce que j'avais prévu pour elle. Même si j'étais un peu déçue que Claudia ne participe pas, finalement.

Peu de temps après le baby-sitting chez les Newton, je l'avais aperçue assise sur son perron, toute seule.

– Tu attends Frank ? avais-je demandé.

– Je ne passe pas mes journées à l'attendre, avait-elle répliqué avec agacement.

Ça alors ! Comme si je lui avais posé la question des millions de fois. J'avais bien envie de lui rétorquer un truc aussi désagréable, mais je me suis dit que ce n'était pas la meilleure façon d'engager la conversation.

Je m'étais donc contentée de hausser les épaules avant de remarquer d'un ton dégagé :

– La semaine prochaine, c'est déjà l'anniversaire de Kristy.

– Je sais. Je regrette vraiment de ne pas pouvoir venir à son dîner.

J'avais hoché la tête.

– Mais je lui prépare une surprise pour le lendemain. Une journée spéciale Kristy.

– Super idée, avait commenté Claudia en souriant.

Comme je ne voulais pas rentrer dans les détails en lui expliquant les espoirs de Kristy au sujet de son père, j'avais simplement dit :

– Puisque tu ne peux pas venir au dîner, tu pourrais participer à la journée spéciale. Ça lui ferait plaisir.

Son visage s'était illuminé.

– C'est vrai ? Tu veux que je sois là ?

– Évidemment.

– Et c'est prévu quand ?

– Le lendemain de son anniversaire.

Son sourire s'était évanoui.

– Je dois aller à la plage avec Frank et ses parents, ce jour-là. Si j'avais été au courant, j'aurais refusé, mais maintenant c'est trop tard.

Argh. Je ne voyais vraiment pas pourquoi elle s'était énervée tout à l'heure, alors. C'était normal que je lui demande si elle attendait Frank, étant donné qu'elle passait toutes ses journées avec lui.

Je ne m'emporte pas facilement, mais quand ça m'arrive… attention. Je commençais à bouillir intérieurement. J'allais répliquer : « Alors explique-moi pourquoi tu as mal pris ma question tout à l'heure ? », mais en voyant son expression, j'avais préféré me taire.

– Je suis vraiment désolée, avait-elle dit.

Elle avait l'air sincère. Je ne comprenais pas pourquoi. Je m'imaginais qu'elle était ravie de passer tout son temps en compagnie de son petit ami. Mais, visiblement, le fait de s'éloigner de ses anciennes copines était aussi dur pour elle que pour nous.

Nous lui manquions peut-être, en fin de compte.

– Ce n'est pas grave.

Après avoir réfléchi un instant, j'avais suggéré :

– On pourrait reporter la journée spéciale Kristy…

Ça m'ennuyait car je sentais bien que mon amie allait avoir besoin de réconfort juste après son anniversaire, mais bon…

– Non, non, ne bouleverse pas tout pour moi, avait protesté Claudia.

J'avais donc maintenu la date.

Bref, nous étions la veille de la journée spéciale et, comme prévu, Kristy avait grand besoin de se changer les idées. Je me suis endormie sur cette pensée.

Lorsque je me suis réveillée, le lendemain matin, le soleil brillait et le ciel était bleu lagon (je n'ai jamais vu de lagon en vrai, mais j'imagine).

J'ai bondi de mon lit, pris mon petit déjeuner en vitesse puis j'ai téléphoné à Mme Pike, en espérant qu'elle n'avait pas oublié que je devais lui emprunter son jardin, sa maison et ses enfants.

– Non, non, on t'attend, viens, Mary Anne.

Je me suis donc rendue chez les Pike, munie de deux grands sacs plastique plein de papiers, crayons, feutres, boîtes d'œufs, pâtes, colle, paillettes, cure-dents, bâtonnets de glaces, boîtes de conserve vides et papier alu.

J'avais commencé à rassembler tout ça dès que j'avais eu l'idée de ma journée spéciale et j'avais acheté le reste avec mon argent de poche (j'allais devoir faire d'autres baby-sittings pour me renflouer).

Pour aller chez les Pike, il fallait passer devant chez Kristy, j'ai croisé les doigts pour qu'elle ne m'aperçoive pas avec tout mon matériel. En longeant la maison des Parker, j'ai foncé droit devant moi, le nez rivé au sol, comme si cela pouvait y changer quelque chose.

Quand je suis arrivée, les petits Pike au grand complet m'attendaient dans l'allée de gravier.

– Salut, Mary Anne ! ont-ils lancé en chœur.

– On est prêts pour la journée spéciale Kristy ! a affirmé Vanessa.

– Même si on ne sait pas ce que c'est, a ajouté Nicky.

– Vos parents ne vous ont pas expliqué ? me suis-je étonnée.

J'en avais pourtant longuement discuté avec M. et Mme Pike.

– Peut-être. Je m'en souviens pas.

Nous sommes passés dans le jardin de derrière et j'ai déposé mes sacs sur la terrasse.

– Kristy a besoin qu'on lui remonte le moral..., ai-je commencé.

Margot m'a aussitôt interrompue :

– Pourquoi ? Pourquoi elle n'a pas le moral ?

Mallory lui a donné un coup de coude.

– C'est pas tes affaires !

Comme la fillette n'avait pas l'air convaincue, j'ai expliqué :

– Ça vous arrive parfois d'être dans un mauvais jour ? Eh bien, c'est arrivé à Kristy plusieurs fois cet été, et j'ai pensé que ça lui ferait du bien de se changer les idées. On va lui faire passer une bonne journée, une journée rien qu'à elle. On va lui montrer à quel point on l'apprécie en lui fabriquant des cadeaux et même en faisant un défilé en son honneur.

– Un défilé ! s'est exclamée Claire. Et on sera dedans ?

– Évidemment, nunuche ! Puisque c'est nous qu'on le fait, a répliqué Adam.

– Et y aura des éléphants ?

– Pardon ?

– Ben, dans le défilé, y aura des éléphants ? a insisté Claire.

Les triplés, écarlates, se retenaient d'exploser de rire. Mallory leur a jeté un regard noir.

– Euh, non, ai-je répondu. Il n'y aura que nous. Avec les bannières que nous aurons fabriquées, nous irons jusqu'à la maison de Kristy. D'autres personnes nous rejoindront en chemin. Et le père de Jenny Prezzioso passe la déposer ici tout à l'heure. Elle va nous aider.

– Et tout le monde va nous voir défiler dans la rue ? Oh, j'espère, j'espère ! s'est écriée Vanessa.

– Quel genre de cadeau on va lui fabriquer ? s'est inquiété Byron.

En guise de réponse, j'ai commencé à sortir les fournitures des sacs. Les enfants se sont regroupés autour de la table, intrigués.

– On va faire des chenilles avec des boîtes à œufs.

Jordan a écarquillé les yeux.

– Mais… j'ai fait ça à l'école maternelle !

– Hé, je suis à l'école maternelle ! a protesté Claire.

– Alors ce sera parfait pour toi et Jenny. Nous allons aussi faire des pots à crayons avec des boîtes de conserve.

– Parce qu'elle a besoin de beaucoup de pots à crayons, Kristy ? s'est étonné Adam.

– Adam, a sifflé Mallory d'un ton menaçant.

– C'est bon, j'ai rien dit.

– On pourra lui faire des colliers de pâtes, ai-je poursuivi, rouge de honte, et des tas de choses avec des bâtons de glace. Et puis aussi des cartes d'anniversaire. Bon, d'abord, il nous faut une banderole pour le premier rang du défilé qui annonce « Journée spéciale Kristy » et une pour la fin qui dise « On t'aime, Kristy ! ».

Nicky a manqué s'étouffer :

– On est vraiment obligés de lui dire qu'on l'aime ?

– Oui, ai-je répondu avec fermeté. Allez, au travail !

Malgré les commentaires désobligeants de Nicky et des triplés, les petits Pike se sont pris au jeu, et bientôt les cadeaux s'entassaient sur la table. Jenny Prezzioso, une copine de Claire qui avait trois ans, adorait Kristy. Je pensais donc qu'elle avait tout à fait sa place dans le défilé, mais dès qu'elle est arrivée, j'ai senti que ça n'allait pas être aussi simple. D'abord, elle était plus jeune que les autres et il fallait l'aider pour tout. Et puis elle portait une petite robe en dentelle blanche avec des socquettes à volants et des ballerines vernies assorties – alors que j'avais prévenu ses parents qu'on allait faire des travaux manuels.

Je l'ai confiée aux bons soins de Mallory, qui lui a tout de suite déniché un tablier.

Bref, après des débuts un peu difficiles, finalement à onze heures et demie, nous avions plein de beaux cadeaux et deux magnifiques banderoles. Lauren Hoffman et les jumelles Millaber sont arrivées et le défilé a pu commencer.

Hélas, c'est seulement à mi-chemin que nous nous sommes aperçus que, sur la dernière banderole, nous avions écrit : ON T'AIME, KISTY. Et c'était trop tard pour corriger.

Nous avions un certain succès dans la rue. Les enfants s'arrêtaient de jouer dans leur jardin pour nous regarder. Les voitures ralentissaient sur notre passage, certains conducteurs ont même klaxonné gaiement pour nous saluer.

Vanessa marchait avec un port de reine, tenant bien haut la première banderole. Claire et Margot agitaient leurs cadeaux dans les airs en criant :

– Vive Kristy !

Quand David Michael nous a rejoints, devant chez lui, j'ai demandé avec angoisse :

– Kristy est là ?

Je venais seulement de penser que, si ça se trouve, elle n'était pas chez elle et qu'elle ne verrait pas le défilé passer.

Heureusement, David Michael a hoché la tête. Avec un soupir de soulagement, j'ai donné le signal :

– Bien, alors allons-y tous en chœur !

Nous avons ralenti le pas en scandant : « KRI-STY ! KRI-STY ! KRI-STY ! » jusqu'à ce qu'elle sorte sur le perron. Là, elle s'est figée. C'est l'une des rares fois de ma vie où j'ai vu Kristy Parker bouche bée.

J'ai souri. Les enfants des environs ont interrompu leurs jeux. Des gens sont apparus à leur fenêtre, les voisins sont également venus sur le pas de leur porte. Mimi, Jane, les Goldman, Mme Parker et mon père. J'ai alors remarqué une fille que je n'avais jamais croisée – environ notre âge, blonde aux yeux bleus, sur un vélo flambant neuf. Elle avait l'air surprise, mais elle souriait. Elle s'est arrêtée pour regarder Kristy traverser la pelouse.

– Bonne journée spéciale Kristy ! ai-je lancé.

Nous étions censés faire tourner le défilé autour d'elle. C'était plus ou moins réussi. Quand nous nous sommes retrouvés face à Kristy, les deux banderoles étaient à l'envers, et Claire et Jenny avaient fait tomber leurs cadeaux.

– Les banderoles, ai-je soufflé.

Vite, les enfants les ont retournées (je crois avoir entendu Nicky murmurer : « On t'aime, Kisty », mais je n'en suis pas sûre).

Ensuite, le groupe s'est dissous, mais c'était trop mignon. En lui offrant leurs cadeaux, Claire et Jenny ont déclaré que Kristy était leur baby-sitter préférée.

La fête finie, après avoir ramené chacun chez soi, nous sommes rentrées à pied, Kristy et moi.

– Tu te souviens, hier soir, quand j'ai dit que j'étais heureuse d'avoir mes frères, ma mère et toi. Eh bien, j'aurais dû ajouter que j'avais aussi plein d'amis, de voisins et d'adorables petits autour de moi, m'a confié Kristy.

– Je sais que ça ne compense pas pour ton père, mais c'est déjà quelque chose, non ? ai-je dit.

– Oui, j'ai de la chance, j'en suis consciente.

– Moi aussi, ai-je renchéri. Je t'ai, toi, et ta mère, et tes frères, et Claudia et Mimi.

– Toi et moi, on est bien entourées, a conclu mon amie. Je vais accrocher les banderoles dans ma chambre.

– On t'aime, Kisty ! ai-je fait.

Elle a souri.

– Et ça faisait combien de temps que tu préparais cette journée ? m'a demandé mon père le soir.

J'ai haussé les épaules.

– Environ quinze jours.

– Ça l'a beaucoup touchée, je crois.

Je me suis contentée d'acquiescer, je ne voulais pas expliquer à mon père pourquoi j'avais eu cette idée.

Il m'a fait signe de m'asseoir à côté de lui sur le canapé.

– Je trouve que tu as beaucoup changé, cet été, Mary Anne. Je suis fier de toi. Tu as grandi.

– Merci.

– Et je pense que tu es capable de garder des enfants seule, désormais.

– C'est vrai ? me suis-je écriée.

– Sous certaines conditions bien entendu.

– D'accord.

– Et il faudra fixer une heure limite.

– D'accord.

Ça m'était égal. Il y avait du progrès, c'était tout ce qui comptait.

Après dîner, je suis montée dans ma chambre – ma chambre toute rose avec les dessins d'*Alice au pays des merveilles* au mur. J'ai hésité à me replonger dans les affaires de ma mère. J'ai même sorti le journal qu'elle avait écrit à l'université. Mais je l'avais déjà lu et relu. Je connaissais par cœur tout ce que contenait ce carton. Je n'avais plus autant besoin de m'y raccrocher.

Je l'ai glissé sous mon lit. Ça me suffisait de savoir qu'il était là.

14
Claudia

J'ai étalé de la crème solaire sur mes bras et mes jambes en attendant que Frank vienne me chercher, comme d'habitude.

Après la plage la veille, aujourd'hui, nous allions à la piscine. Grâce à lui, j'avais passé beaucoup de temps dehors cet été (surtout depuis que son stage de maths était terminé) et il fallait que je prenne soin de ma peau.

Je m'étais bien amusée à la plage, mais j'avais l'impression que Frank avait été un peu déçu qu'on se contente de rester sous le parasol, avec ses parents, rien de plus. Il n'était pas aussi bavard que d'habitude et ne cessait de jeter des coups d'œil impatients autour de lui.

J'avais même fini par lui demander :

– Qu'est-ce que tu regardes ?

Il m'avait souri, un peu gêné.

– Rien, rien…

Et c'était tout. Peut-être qu'il s'était ennuyé. Il n'y avait pas grand-chose à faire, pas de promenade, même pas de café. Je m'étais baignée, mais ça n'avait pas l'air de le tenter. Peut-être que ça l'embêtait que ses parents soient là.

Je m'étais donc promis qu'aujourd'hui ce serait mieux. Déjà, nous serions en tête à tête. Je l'ai vu qui arrivait au bout de la rue. J'ai consulté ma montre. Il avait vingt minutes de retard. Vingt-deux pour être précise. Vingt-deux et quatre secondes, même.

Je me suis levée pour lui faire signe.

– Tu es prête ? m'a-t-il demandé sans même descendre de son vélo.

Il n'est même pas entré dans le jardin. Il est resté devant chez moi, en selle. Il semblait assez impatient. J'avais envie de lui dire que c'est lui qui était en retard et pas le contraire, mais je me suis ravisée.

Nous avons filé à la piscine municipale. Il y a trois bassins extérieurs : une piscine olympique, une pataugeoire et un bassin de plongée. Les élèves du lycée se retrouvaient tous dans un coin, au bord de la piscine olympique, vers le fond, à l'ombre d'un érable. Ils étalaient leurs serviettes dans l'herbe, pour bronzer, discuter, écouter de la musique ou manger des frites et des hot-dogs achetés au snack-bar.

Comme je ne connaissais personne, je me suis installée tout près de l'arbre, à l'abri du soleil.

Frank m'a dévisagée.

– Qu'est-ce que tu fabriques ?

– Co... comment ça ?

– On ne va pas rester tout seuls dans notre coin. Je veux me mettre avec mes amis.

Eh bien, il suffisait de me dire où étaient ses fameux amis. Je ne suis pas voyante. Tous ses copains avaient passé l'été en camp d'ados ou en vacances ailleurs, je ne les avais encore jamais croisés.

Haussant les épaules, je l'ai suivi.

Notre arrivée a été accueillie par des cris de joie. Enfin, je veux dire, l'arrivée de Frank. Apparemment, ce matin-là, j'étais invisible.

– Frank !

– Salut, Frankie !

– Oh, Frank, dommage que tu ne sois pas venu au camp !

Je dois préciser que la plupart de ces remarques venaient de filles et non de garçons. Et lorsque Frank a étalé sa serviette dans l'herbe, elles ont aussitôt rapproché les leurs.

J'ai juste eu le temps de m'installer à côté de lui pour défendre ma place contre l'envahisseur. Ça n'avait pas l'air de les gêner, elles se sont agglutinées près de lui comme attirées par un aimant.

Je leur ai lancé un regard noir, qui est passé complètement inaperçu, puisqu'elles n'avaient d'yeux que pour Frank. Lui-même ne semblait plus me voir. Oui, vraiment, je devais être invisible !

– Alors, qu'est-ce que tu as fait, cet été, Frankie ? a demandé une fille brune, à la peau mate et dorée comme une noisette.

Il lui a adressé un sourire charmeur.

– Pas grand-chose. J'ai traîné ici et là.

Quoi ? Alors selon lui, j'étais « pas grand-chose » ?

Je me suis relevée sur un coude et j'ai toussoté. Il m'a jeté un bref coup d'œil, mais juste à ce moment-là, une fille – blonde et si pâle qu'elle ne devait pas souvent quitter l'ombre – est carrément venue s'asseoir sur un coin de sa serviette.

– J'ai cherché, mais je n'ai pas croisé de garçon plus mignon de tout l'été.

Ma mâchoire a failli se décrocher. Non, mais franchement qui peut sortir des âneries pareilles ?

Il lui a souri, en montrant toutes ses dents.

– Tu imagines que, dans deux semaines et demie, on sera au lycée ? a ajouté une troisième fille.

Là, je me suis carrément assise sur ma serviette avant de me racler la gorge bruyamment.

– Oh ! s'est écriée la grande brune.

Ça y était, elles venaient de remarquer ma présence.

– Qui c'est ? a demandé l'une d'elle.

– Ta sœur ? a enchaîné l'autre.

– Non, c'est Claudia Koshi, a répliqué Frank, comme s'il faisait visiter sa maison et désignait un simple placard à balais.

Quel enthousiasme !

– Claudia, je te présente mes amies Anna (la brune), Lindy (la blonde), Tracy, Alexa, Morgane, Val... (et bla bla bla).

– Tu es dans quel collège ? m'a questionnée Tracy.

– Celui de Stonebrook.

– Ah bon ? Pourtant on ne s'est jamais croisées.

Je me suis une fois de plus éclairci la voix.

– Hum, c'est sans doute parce que je vais entrer en cinquième.

Six paires d'yeux se sont instantanément fixées sur Frank. J'attendais qu'il prenne ma défense en affirmant que j'étais très douée en dessin ou qu'on s'était super bien amusés à la plage la veille (même si ce n'était pas vrai). Mais il n'a rien dit, et les filles se sont totalement désintéressées de moi – je les comprends.

– Tu sais ce qu'a fait Lindy cet été ? a repris la fameuse Anna. Elle est partie en Espagne pendant plus d'un mois avec ses parents.

– Waouh ! a sifflé Frank.

– Hé, vous avez entendu la nouvelle chanson de Cloudy Dan ? a demandé Alexa.

– Ouaip, a-t-il confirmé.

Évidemment.

Quelques minutes plus tard, les filles se sont soudainement rappelé mon existence.

– Et toi, qu'est-ce que tu as fait cet été, Claudia ? Tu es allée au centre de loisirs ?

Hurlements de rire. Hi hi hi ! Ha ha ha ! J'aurais voulu partager l'hilarité générale, mais ça m'a blessée que Frank ricane aussi. J'avais la gorge tellement serrée que je pouvais à peine respirer.

– Au fait, Frank, tu vas essayer d'intégrer l'équipe de foot ? a voulu savoir Lindy.

Frank a haussé les épaules, comme s'il n'y avait pas encore réfléchi, mais il paraissait flatté qu'une jolie fille comme elle le juge digne de jouer au foot.

– Moi, j'aimerais être élue reine de la promo, a avoué Val.

– Mais… tu ne peux pas être nommée reine quand tu es en seconde ! a fait valoir Anna.

– Non, mais je peux commencer à me faire remarquer pour que tout le monde me connaisse quand je serai en terminale.

– Tu viens te baigner, Frankie ? a proposé Alexa.

Il s'est levé d'un bond.

– Avec plaisir !

Morgane m'a jeté un regard innocent.

– Tu sais nager ?

– Oui, ai-je répondu en levant les yeux au ciel. Sans bouée !

J'ai tout de même réussi à survivre à cette journée de malheur. Frank ne m'a pas complètement ignorée. À un moment, il m'a proposé (à moi, pas au reste de son harem) d'aller à l'eau. Je l'ai donc suivi. Puis il m'a demandé si je voulais une glace. J'ai refusé parce que tout ça m'avait coupé l'appétit.

Finalement, lorsque tout le monde a commencé à remballer ses affaires, nous sommes retournés prendre nos vélos.

– Bon…, a-t-il commencé en défaisant l'antivol, ça n'a pas été vraiment…

Il n'a pas achevé sa phrase. Pas la peine.

Il avait donc remarqué. Enfin, ça aurait été dur de ne rien voir.

– Quoi ? ai-je tout de même demandé.

– Tu sais bien…

Non, je ne savais pas. Mais il n'avait visiblement pas l'intention de m'expliquer. Nous sommes rentrés en silence. En arrivant devant chez moi, j'ai ralenti.

– À plus ! ai-je lancé en agitant la main.

Mais il était déjà parti.

Je n'ai pas eu de nouvelles de lui pendant plusieurs jours. Au début, j'étais tellement vexée que j'ai décidé que je m'en fichais. Enfin, c'est ce dont j'essayais de me convaincre. Mais au bout de presque une semaine, j'avais quand même très envie qu'il m'appelle. J'aurais voulu qu'il se rende compte de la peine qu'il m'avait causée et qu'il s'excuse. J'imaginais une conversation romantique, comme dans les séries télé : « Claudia, pourras-tu un jour me pardonner ? Je me suis vraiment comporté en mufle. Je ne sais pas ce qui m'a pris. Mes amies ont été odieuses avec toi. Si on allait au cinéma ce soir ? J'aimerais tant pouvoir me racheter. »

Inutile de dire que ça ne s'est pas du tout passé comme ça. Le sixième jour, n'y tenant plus, j'allais l'appeler quand le téléphone a sonné. Et c'était lui !

– Salut ! me suis-je exclamée, prête à tout lui pardonner.

– Claudia, j'ai quelque chose à te dire.

J'ai hésité.

– Bon… tu veux passer chez moi ?

– Non, ça peut se faire par téléphone.

– Ah…

– Voilà : je pense qu'on ne devrait plus se voir, a-t-il annoncé.

– Quoi ? Mais pourquoi ? Qu'est-ce qui se passe ?

Je l'ai presque entendu hausser les épaules à l'autre bout du fil. Comme il ne répondait rien, j'ai insisté :

– Frank, j'aimerais savoir pourquoi tu veux… hum, rompre avec moi.

– Eh bien, tu vois, je vais entrer au lycée (ah ouais ?). Et toi, tu es plus jeune (quel scoop !). On s'est bien amusés cet été, mais…

Il a laissé sa phrase en suspens.

Je devinais la suite. Il s'était bien amusé cet été, mais il avait honte d'avoir une petite amie qui était en cinquième. Surtout avec Val, Morgane et le reste de la clique qui lui tournaient autour comme la fée Clochette autour de Peter Pan. Mais quand même…

– On pourrait continuer à se voir de temps en temps, ai-je protesté. Aller au ci…

– Claudia, c'est fini, m'a-t-il coupée.

Et il a raccroché.

Je suis restée deux bonnes minutes à contempler fixement le combiné, stupéfaite, avant de le reposer sur son socle.

Je venais de me faire larguer.

J'ai fondu en larmes et je me suis jetée sur mon lit en sanglotant. Pas la peine de le rappeler, j'avais compris à sa voix que sa décision était ferme et définitive. J'ai pleuré jusqu'à en avoir les cheveux trempés. Puis j'ai repris mon téléphone. J'ai commencé à composer le numéro de Kristy, mais j'ai raccroché. J'ai fait celui de Mary Anne et j'ai raccroché également. Elles ne comprendraient pas. Et même si elles comprenaient, elles ne sauraient pas quoi dire. J'aurais bien appelé Dori, mais elle n'était pas rentrée de vacances. Pareil pour Emily.

Alors finalement, je me suis relevée péniblement pour me traîner jusqu'au rez-de-chaussée. Mimi était en train de se faire un thé dans la cuisine.

En me voyant, elle m'a aussitôt prise dans ses bras.

– Ma Claudia ! Mais tu as pleuré ! Raconte-moi ce qui t'arrive.

Elle m'a câlinée un moment, puis j'ai avoué d'une voix étranglée :

– Frank m'a laissée tomber.

– Ma pauvre chérie. Viens. Assieds-toi. On va prendre une bonne tasse de thé.

Elle m'a servie tandis que je pleurnichais :

– Je ne sais même pas ce que j'ai fait de mal.

– Claudia, je suis sûre que tu n'y es pour rien.

– Alors pourquoi il ne veut plus de moi ?

– C'est difficile, tu sais, d'avoir une relation avec quelqu'un qui n'a pas le même âge. Frank va franchir une étape de sa vie. Ce ne serait pas évident de rester ensemble alors qu'il est au lycée et toi au collège, non ? Il va falloir qu'il s'habitue à…

– … être entouré d'un tas de filles, ai-je murmuré.

– En partie oui, a acquiescé Mimi. Il aura aussi plus de devoirs, des activités différentes, il va se faire de nouveaux copains. Mais toi aussi. Sans oublier tes anciennes amies.

Elle m'a dévisagée d'un air très solennel.

– Kristy et Mary Anne.

Elle a hoché la tête.

– Mais j'ai l'impression qu'elles sont beaucoup plus jeunes que moi.

– Les amis ne grandissent pas tous au même rythme, c'est parfois un peu délicat. Elles vont te rattraper, ne t'en fais pas. Je sais que ça t'attriste que vous vous soyez éloignées, et ça doit leur faire de la peine aussi. Mais je suis certaine que vous pouvez sauver votre amitié si vous y mettez chacune du vôtre.

– Sûrement…, ai-je fait, pas franchement convaincue.

Mimi s'est servi une nouvelle tasse de thé.

– Ma Claudia, je crois qu'il faudrait que tu aies une petite discussion avec quelqu'un.

– En dehors de Mary Anne et de Kristy ?

– Oui…

J'ai baissé les yeux.

– Tu veux parler de Jane ?

– Mmm, depuis ton anniversaire, ça ne va pas entre vous et je pense qu'il faut agir. Tu te sens capable de faire le premier pas en abordant la question avec elle ce soir ?

J'ai poussé un gros soupir.

– D'accord…

J'ai attendu qu'on ait fini de dîner et que Jane soit dans sa chambre, assise devant son ordinateur. J'ai frappé à sa porte en demandant :

– Je peux entrer ?

Elle a levé les yeux, surprise.

– Euh… oui.

– Tu sais… Frank m'a laissée tomber aujourd'hui, ai-je annoncé.

J'étais adossée au chambranle de la porte, les bras croisés.

Jane a haussé les sourcils et éteint son ordinateur.

– Du coup, il est à nouveau libre. Mais je te souhaite bonne chance, la compétition va être rude entre Val, Ann, Lindy, Tracy…

Ma sœur a balayé ma remarque d'un revers de main, comme s'il s'agissait d'un essaim de mouches.

– Pff, tu parles…

– Tu les connais ?

– Non, mais je vois le genre de filles.

J'ai souri.

Comme elle tapotait son lit, je suis venue m'asseoir à côté d'elle.

– Je suis vraiment désolée, Jane. Je ne savais pas que tu avais un faible pour Frank. Et je n'en revenais pas qu'il s'intéresse à moi. Tu imagines, un gars de seconde, ou presque et… je ne sais pas… j'étais flattée. J'avais l'impression d'être grande. Mary Anne et Kristy se comportaient comme de vrais bébés et…

– C'est bon, Claudia, est intervenue ma sœur. Pas besoin d'en rajouter. Tu m'as fait de la peine et, en plus, ça n'avait pas l'air de te déranger. Mais je savais que je n'avais aucune chance avec Frank. Et c'est ça qui m'embêtait le plus.

Je l'ai serrée dans mes bras. Mais en me glissant dans mon lit, ce soir-là, je me sentais vraiment seule. Je n'avais plus Frank. Avec Mary Anne et Kristy, ce n'était plus comme avant. Et je me sentais toujours tellement différente du reste de ma famille…

J'ai jeté un regard par la fenêtre. La rue sombre était calme et silencieuse. J'ai attendu de voir une étoile filante avant de me glisser sous ma couette et de m'endormir.

15
Kristy

– J'ai une idée ! me suis-je exclamée.

– Oui, quoi ? a voulu savoir Claudia.

– Tu gardes Jenny Prezzioso cet après-midi, non ?

– Oui…

– Moi, je garde David Michael et Mary Anne, Simon. On n'a qu'à emmener tous les enfants au square, comme ça, on pourra bavarder toutes les trois. OK ?

– D'acc. Super idée, Kristy !

– On se retrouve là-bas à deux heures ?

– Ça marche. À tout à l'heure.

J'ai raccroché. J'avais trouvé une manière agréable de passer le dernier jour des vacances. Et ça semblait plaire à Claudia ! Elle avait donc envie de nous voir, alors que ces dernières semaines, avec Mary Anne, on avait l'impression qu'elle nous évitait. Nous avions même fini par croire que ce n'était plus notre amie, qu'elle nous avait laissées tomber comme de vieilles chaussettes. C'était une bonne chose qu'elle ait envie de passer l'après-midi avec nous et trois jeunes enfants au lieu de traîner avec Frank, de peindre toute seule dans sa chambre comme une artiste maudite ou d'aller en ville s'acheter une quarante et unième paire de chaussures. J'espérais que ce serait la première étape pour renouer le contact. Si ça ne marchait pas, tant pis, mais je croisais les doigts pour que notre longue amitié dure encore... une éternité.

À deux heures précises, je suis arrivée au square avec David Michael.

– Pourquoi on vient ici ? ronchonnait-il. C'est juste en face de l'école où je vais demain. Parce que c'est la rentrée.

Je lui ai tapoté la tête.

– Tu vas bien t'amuser. On va retrouver Claudia et Mary Anne qui gardent Jenny et Simon.

Mon frère s'est arrêté net pour me lancer un regard exaspéré.

– Simon et Jenny ? Mais ils ont trois ans. Et sur les deux, il y a une fille, en plus !

– Tu t'en remettras. Et puis, je vais te dire un secret : j'aimerais pouvoir discuter tranquille avec mes amies, alors je compte sur toi. Tu vas être mon assistant baby-sitter, d'accord ? ai-je proposé en me rappelant que ça avait fonctionné avec Mallory. Maintenant que tu entres au CP, tu es un grand.

David Michael m'a adressé un sourire radieux.

– Ça marche !

Il a vite rejoint Mary Anne et Simon sur le portique d'escalade.

– Bonjour ! Hé, Simon, aujourd'hui, je suis…

– B'jour ! a répondu le petit garçon.

– Oui, bonjour, aujourd'hui, je vais être…

– B'jour, Kristy !

– Salut, Simon.

Mon frère a réessayé encore une fois :

– Simon, aujourd'hui, je suis assistant baby-sitter. Tu dois faire tout ce que je te dis.

– Je t'expliquerai plus tard, ai-je glissé à l'oreille de Mary Anne.

– D'accord, a répondu Simon.

David Michael a été surpris qu'il ne proteste pas.

– Bon, alors, viens, on va aux balançoires.

Simon l'a suivi docilement. Avec Mary Anne, nous nous sommes assises sous un pin. Nous avions passé tellement de temps sous cet arbre, surtout Mary Anne qui n'aimait pas trop les jeux d'extérieur et venait s'y installer avec un livre ou des figurines.

Comme si elle lisait dans mes pensées, elle a dit :

– Tu te rappelles quand on venait s'asseoir ici, en primaire ? Claudia, toi et moi ?

– Je venais pour échapper à Alan Gray. Il prétendait que c'était l'arbre des filles.

J'ai entendu rire derrière moi. Claudia venait d'arriver avec Jenny.

– Je m'en souviens ! a confirmé Claudia. Il ne voulait pas s'approcher comme si c'était un terrain miné.

– Bonjour, Jenny ! a lancé mon frère en rappliquant, Simon sur les talons. Aujourd'hui, c'est moi qui te garde… (Il m'a jeté un coup d'œil avant de rectifier :) Enfin, je suis assistant baby-sitter. Je vais m'occuper de toi et de Simon. Alors viens avec nous.

– Hum, une minute, est intervenue Claudia en toisant Jenny dans sa petite robe rose pâle, avec ses ballerines assorties.

Ça n'était pas vraiment la tenue idéale pour jouer au parc.

Notre amie nous a lancé un regard désespéré avant de soupirer :

– Fais en sorte qu'elle ne se salisse pas trop, d'accord ?

– OK, a répondu David Michael avant de filer avec les deux petits.

– Comme il était furieux que je l'emmène jouer avec des gamins de trois ans, je l'ai nommé assistant baby-sitter pour la journée, ai-je expliqué. Du coup, il est très fier, et nous, on est tranquilles.

Mes deux amies ont souri. Installées côte à côte, nous ne quittions pas les enfants des yeux, en baby-sitters consciencieuses.

Mary Anne a soufflé sur sa frange.

– Quelle chaleur !

– Oui… et c'est déjà le dernier jour des vacances, je n'en reviens pas. C'est pas juste !

– C'est vrai que ça a passé vite, a approuvé Mary Anne.

– Vous trouvez ? me suis-je étonnée. Ben, pour moi, pas trop. Vous savez quoi ? Je suis contente que ce soit fini.

– Tu plaisantes ? a fait Claudia.

J'ai secoué la tête.

– Non.

– Mais pourquoi ? Comment peux-tu te réjouir que les vacances soient finies ?

J'ai haussé les épaules. Avec une brindille, j'ai dessiné un bonhomme avec un grand sourire dans la terre.

– Tu ne veux pas nous le dire ? a insisté Claudia.

Sentant qu'elle était vexée, j'ai lâché mon bâton pour la regarder.

– Si, si… mais je ne sais pas comment expliquer…

Elle s'est détendue.

– Je comprends.

Finalement, j'ai repris :

– Voilà. En réalité, je n'ai pas été très maligne…

Mon amie a haussé un sourcil.

– Ah bon ? Pourquoi ?

– Je me suis mis dans la tête que mon père allait se souvenir de mon anniversaire. Je pensais même qu'il allait venir pour me faire la surprise. Je ne sais pas pourquoi, j'en étais persuadée…

– Parce que tu voulais y croire, tout simplement, a affirmé Claudia. Tu en avais besoin.

– Ouais, sûrement…

Elle s'est tournée vers Mary Anne.

– C’est pour ça que tu as organisé la « journée spéciale Kristy » ? Parce que tu pensais qu’elle aurait besoin de réconfort après son anniversaire ?

Mary Anne a acquiescé en rougissant.

– J’espère que tu ne m’en veux pas de ne pas t’avoir parlé de mon père, Claudia, me suis-je empressée de préciser. Je ne me suis confiée qu’à Mary Anne. Et à contrecœur encore, elle m’a tiré les vers du nez.

J’ai souri à Mary Anne.

– Je n’ai même pas osé le dire à ma mère. Enfin, bref, j’ai passé un été affreux à espérer quelque chose qui n’est jamais arrivé.

Claudia m’a passé le bras autour du cou.

– Eh bien, si ça peut te consoler, et toi aussi, Mary Anne, finalement Frank m’a laissée tomber.

– QUOI ? avons-nous hurlé en chœur.

Et Mary Anne a ajouté :

– Je ne vois pas pourquoi ça nous ferait plaisir.

– Même si je vous ai snobé tout l’été, que j’ai manqué l’anniversaire de Kristy, sa journée spéciale et un tas d’autres trucs ? On ne s’est presque pas vues des vacances.

– Mais on pensait que tu étais heureuse avec ton petit copain, ai-je dit.

Claudia est devenue écarlate.

– Je ne suis même pas sûre qu’il me considérait comme sa petite amie. Pour lui, j’étais juste un bouche-trou pour passer l’été pendant que ses amis étaient en vacances. Je m’en suis rendu compte récemment.

– Oh, non, ça devait être plus que ça, m'a assuré Mary Anne. On a bien vu comment il te regardait à ton anniversaire.

Claudia a souri.

– Ouais, ça avait bien commencé. Au début, on s'est bien amusés, mais…

Elle a laissé sa phrase en suspens, tripotant une pomme de pin, avant de reprendre :

– Hum, les filles, qu'est-ce qui nous est arrivé ? Qu'est devenue notre amitié ?

– Comment ça ?

– Kristy, tu as très bien compris, a affirmé Mary Anne.

– Mmm…

– Il faut qu'on en parle, a décrété Claudia.

– Eh bien, ce qui s'est passé, c'est que, subitement, tu t'es désintéressée de nous pour te consacrer uniquement à la mode, au maquillage… et aux garçons ! me suis-je écriée. Tandis que Mary Anne et moi…

– … ça ne nous passionne pas, a complété Mary Anne.

Claudia a souri.

– Ça n'a pas été aussi soudain… Enfin, peu importe. Ça n'empêche qu'on peut rester amies. Il faut que j'arrive à ne négliger aucun de mes amis. J'étais très flattée qu'un garçon de seconde veuille sortir avec une fille de cinquième. Qu'il apprécie mes dessins, qu'on fasse plein de choses ensemble. On était dans notre petit monde… J'en ai presque oublié tout le reste…

Elle a poussé un profond soupir.

– Mais ces derniers jours, après son dernier appel pour rompre, ça a été affreux. Je me sentais tellement mal, j'avais tellement envie de vous parler. Seulement je n'osais pas vous appeler. J'avais peur que vous me répondiez : « On te l'avait bien dit ! » Ou pire, que vous m'ayez oubliée vous aussi. Et je n'aurais pas pu vous en vouloir. Et puis, Kristy m'a téléphoné et, en entendant sa voix, j'ai tout de suite su que je m'inquiétais pour rien. Que, quoi qu'il arrive, toutes les trois, on était dans le même camp.

– Nous, on avait l'impression que tu ne voulais plus être notre amie. Ou, plus exactement, que tu ne voulais plus nous compter parmi tes amies, si tu vois la différence.

– Non, ce n'est pas vrai ! a protesté Claudia. Vous m'avez affreusement manqué !

– C'est vrai ? ai-je fait.

– Tu nous as beaucoup manqué aussi, a ajouté Mary Anne.

– Mais cet été, nous avons toutes changé. Mimi dit que chacun grandit à son rythme…

– Il faudra faire des efforts pour rester amies tout en suivant chacune notre voie, a remarqué Mary Anne, pensive.

– Tu crois qu'on peut y arriver ? ai-je demandé.

Elle s'est mise à rire.

– On a plutôt intérêt ! En tout cas, pour moi, ces vacances ont fait évoluer les choses : maintenant, j'ai le droit de faire du baby-sitting toute seule, et ça, c'est super !

– C'était tellement bizarre, chez les Newton, s'est esclaffée Claudia.

– J'espère que mon père va assouplir ses règles petit à petit, a poursuivi Mary Anne.

– *Petit à petit, l'oiseau fait son nid*, a décrété Claudia d'un ton sage.

J'ai soufflé, soulagée.

– Je suis contente qu'on ait eu cette conversation, mais j'ai comme une impression d'inachevé. Demain, on reprend les cours. Tu as de nouvelles copines, Claudia. Et Mary Anne et moi, on n'est pas prêtes à jouer les gravures de mode, désolée. Il faudrait qu'on trouve le ciment qui nous lie, comme dit ma mère.

Je me suis interrompue un instant avant de continuer :

– En parlant de ma mère, je me demande si c'est vraiment sérieux entre elle et Jim. J'aimerais avoir une boule de cristal pour savoir ce que me réserve l'avenir…

– Non, je t'assure qu'il ne vaut mieux pas savoir, a décrété Mary Anne.

– Ça ne t'intrigue pas ?

– Si, mais, de toute façon, on le découvre assez vite, sans boule de cristal.

– Quant au ciment, a fait Claudia, ne t'en fais pas. On est liées par toutes les choses qui nous entourent.

Regarde, cet arbre, notre rue, tous les secrets qu'on partage…

– C'est vrai, ai-je admis, toutes les heures qu'on a passées à jouer au Monopoly, tous les exposés qu'on a préparés ensemble…

– Et surtout, le plus important, c'est nous, a conclu Mary Anne. C'est nous qui maintenons le lien.

Claudia et moi, nous avons hoché la tête.

C'est alors que David Michael, Jenny et Simon sont revenus vers nous, tout essoufflés.

La robe de Jenny était toujours impeccable.

– Elle ne s'est pas salie ! a annoncé mon frère d'un ton triomphal.

– Bravo ! l'ai-je félicité en me relevant.

Mes deux amies m'ont imitée, époussetant leur short avant de traverser le square.

– À demain ! a lancé Claudia avant de tourner dans la rue de Jenny. On part au collège ensemble ?

– Oui ! Bonne idée ! me suis-je exclamée.

– Ça marche.

Nous nous sommes éloignées chacune de notre côté, mais avec un gros poids en moins sur la poitrine.

Ce soir-là, chez les Parker, nous sommes repassés aux horaires scolaires (enfin, pas pour Sam et Charlie, mais pour David Michael et moi).

– Huit heures, c'est une blague ? a protesté mon petit frère lorsque maman lui a dit d'aller se coucher.

– Demain, tu entres à la grande école, je te rappelle.

– Oh, là, là, a-t-il marmonné.

À neuf heures, j'étais dans ma chambre. Ce n'était pas encore l'heure d'aller au lit, mais j'étais fatiguée et je voulais bien commencer mon année. J'ai éteint la lumière et je me suis mise à genoux sur mon lit, ma lampe torche à la main. Les vacances étant finies, il était trop tard pour téléphoner à Mary Anne. Cependant elle était à sa fenêtre avec sa lampe également. Nous nous sommes envoyé un message codé : BONNE NUIT, À DEMAIN.

Puis je me suis glissée sous ma couette.

Deux secondes plus tard, j'étais de nouvelle collée à ma vitre, dans l'espoir d'apercevoir une étoile filante pour me porter chance pour la rentrée.

Mais le ciel était noir d'encre.

L'été était terminé.

16

Lucy

– C'est pas vrai ! Tu ne vas quand même pas m'accompagner à l'intérieur !

J'étais assise dans la voiture, les bras croisés.

Ma mère a coupé le moteur.

– Lucy…

– Je ne suis plus en maternelle, l'ai-je interrompue. Je peux aller en cours toute seule.

– Nous en avons déjà discuté, a-t-elle répliqué patiemment. Il faut que je prévienne le principal et l'infirmière que tu souffres de diabète. Et peut-être tes professeurs également.

– Tous mes profs ? me suis-je écriée.

D'après mon emploi du temps, j'en avais sept !

– Lucy…

– Maman, c'est mon premier jour dans ce collège, je t'en supplie, ne gâche pas tout.

– Je ne vais rien gâcher du tout. Mais il faut au moins que je voie le principal. De toute façon, tu es censée te présenter à son bureau avant les cours, alors autant que je vienne avec toi. Je ne vais pas te faire honte.

– Promis ?

– Promis.

– Alors marche à dix pas devant moi pour que personne ne devine qu'on est ensemble.

– Charmant ! a soupiré ma mère.

Mais elle souriait.

Elle a traversé la pelouse en direction de la grande porte. Je la suivais à bonne distance. Jusqu'ici tout allait bien. Avec un peu de chance, elle passerait complètement inaperçue.

Après avoir erré quelques minutes dans les couloirs, maman a trouvé le bureau du principal et nous avons pu rencontrer M. Taylor. Il a refermé la porte derrière nous, de sorte que les autres élèves ne pouvaient pas nous voir.

– Bienvenue au collège de Stonebrook, Lucy, a-t-il dit en me serrant la main.

– Merci, monsieur.

Il s'est rassis en nous faisant signe de nous installer en face de lui.

– Je vois que tu es une très bonne élève, a-t-il constaté en lisant mon dossier.

– Merci, ai-je répété.

– En fait, la seule chose qui nous inquiète, c'est son diabète, a dit ma mère. Lucy a été assez gravement malade l'an dernier.

– Mais je vais beaucoup mieux. Tout est rentré dans l'ordre. Je suis bien mon régime.

– N'empêche, il faut que le personnel du collège soit au courant, ma puce.

Le principal a regardé l'heure avant de s'adresser à moi :

– Lucy, le premier cours va bientôt commencer. Tu veux aller en classe ? Je discuterai un peu avec ta mère, puis je lui présenterai l'infirmière.

– Il vaudrait peut-être mieux que Lucy soit présente, non ? s'est inquiétée ma mère.

– Il serait dommage qu'elle manque sa première heure de cours. Elle pourra toujours passer à l'infirmerie plus tard.

Décidément, ce M. Taylor me plaisait bien.

En sortant de son bureau, j'ai vu deux élèves chargés de faire visiter le collège aux nouveaux. Alors que j'approchais, une fille au sourire chaleureux a consulté sa liste.

– Lucy MacDouglas ?

J'ai acquiescé.

– Emily Bernstein. Je vais te servir de guide aujourd'hui.

– Salut !

– Tu viens d'emménager à Stonebrook ?

– Il y a quelques semaines. Je ne connais encore personne.

– Eh bien, ça ne va pas durer ! a affirmé gaiement Emily.

Elle m'a conduite jusqu'à ma première salle de cours, en me montrant au passage la cafétéria et la bibliothèque.

– Tu vas devoir trouver tes prochaines salles toute seule, mais si tu as un problème, n'hésite pas à demander. Tout le monde est très sympa. On se retrouve à l'heure du déjeuner, OK ?

– OK, merci.

– Ne t'en fais pas, tout va bien se passer, m'a-t-elle lancé par-dessus son épaule en s'éloignant d'un pas pressé.

Je n'étais pas stressée. Franchement. Surexcitée, oui, mais pas stressée. Personne ne me connaissait ici. Personne n'était au courant que j'avais fait pipi au lit à une soirée-pyjama ni qu'une ambulance avait dû venir me chercher au collège, ni que j'avais été absente la moitié de l'année parce que j'étais chez le docteur ou à l'hôpital. Personne ne pensait que j'étais la fille idéale à taquiner, charrier, chahuter…

En prenant une profonde inspiration, j'ai poussé la porte de la salle pour mon premier cours au collège de Stonebrook.

Emily avait raison. Tout le monde était sympa. Bon, sans doute pas tout le monde. J'ai vu deux garçons arracher son cahier à un autre, mais finalement ils ont éclaté de rire tous les trois et sont repartis ensemble. En cours de gym, j'ai entendu une fille faire une remarque médisante sur l'odeur qui s'échappait des vestiaires des profs. Mais quand je me suis perdue après ma troisième heure de cours, je n'ai même pas eu à demander de l'aide. Une fille à l'air timide qui portait des nattes s'est approchée en proposant :

– Tu as besoin d'un coup de main ?

– Ça se voit tant que ça ?

Elle a haussé les épaules en souriant.

– Eh bien, depuis cinq minutes, tu tournes en rond en regardant nerveusement ton emploi du temps…

– C'est mon premier jour dans ce collège, ai-je avoué. Et je n'arrive pas à trouver la salle 126.

– Bon, prends à gauche et va jusqu'au bout du couloir. La salle 126 sera sur ta droite, tu ne peux pas la rater.

– OK, merci !

Je suis repartie en gambadant (ou presque). Mon année de cinquième commençait bien. Mes profs avaient l'air plutôt sympathiques (deux d'entre eux étaient même carrément drôles), et aucun n'avait eu l'idée saugrenue de me demander de me présenter à toute la classe. J'avais prévu que, dans ce cas, j'aurais menti, ou tout du moins omis les aspects les moins réjouissants : « Salut, je m'appelle Lucy Toutsourire. J'arrive de New York et je suis très heureuse d'être ici ! »

En fin de matinée, j'avais déjà un peu de devoirs, mais rien d'insurmontable, et je n'avais pas encore eu d'expérience malheureuse. J'étais un peu angoissée pour le repas, cependant, et j'avais de bonnes raisons. En entrant dans la cafétéria, je l'ai trouvée immense, au moins trois fois plus grande que celle de ma minuscule école privée de New York. En fait, je ne savais même pas comment procéder. J'ai vu qu'il y avait plusieurs files, que certains élèves payaient avec une carte, d'autres avec de l'argent. Il y avait même des distributeurs de boissons qui fonctionnaient avec des jetons.

J'envisageais de tourner les talons pour passer l'heure du déjeuner à la bibliothèque, tout en sachant parfaitement qu'en sautant un repas je risquais de me retrouver en hypoglycémie, lorsque j'ai senti une main sur mon épaule.

– Salut, Lucy !

C'était Emily. J'ai failli m'évanouir de soulagement.

– Oh, salut !

– Tu as l'air un peu perdue.

– Je suis complètement perdue.

– Bon, ne t'en fais pas. Je vais te montrer comment ça se passe et ensuite on ira s'asseoir avec mes copains.

Je l'ai suivie dans toute la cafét' comme un chiot reconnaissant. Elle m'a aidée à m'inscrire pour prendre une carte, acheter des jetons et enfin remplir mon plateau. Je n'ai pas pris grand-chose. Elle a dû penser que j'étais anorexique, mais elle n'a rien dit. Elle m'a conduite jusqu'à une grande table dans le fond où il restait deux places.

Tous les regards se sont tournés vers moi.

Je suis restée pétrifiée une seconde, puis j'ai annoncé :

– Bonjour, je m'appelle Lucy MacDouglas et je viens d'une autre planète.

Ça les a fait rire.

– Lucy, je te présente Claudia Koshi, Dori Wallingford, Pete Black, Rick Chow et Howie Johnson, a énuméré Emily.

Ils m'ont tous fait signe.

– Alors ? Comment s'est passée ta matinée ? m'a-t-elle demandé en mordant dans son sandwich.

– Très bien, tu avais raison, l'ambiance est sympa.

Nous avons discuté un peu, j'essayais de retenir les prénoms, mais je n'ai pu mémoriser qu'Emily et Claudia. Les élèves se levaient, puis étaient vite remplacés par d'autres. Certains passaient à la table simplement pour bavarder. Ils se racontaient tous leurs vacances.

L'heure du déjeuner a passé en un éclair.

Lorsque la sonnerie a annoncé la fin des cours, j'étais épuisée. J'ai réussi à localiser mon casier, à l'ouvrir sans trop de problème, puis j'ai pris ce qu'il me fallait et je me suis dirigée vers la sortie. Alors que je traversais la pelouse – regrettant amèrement d'avoir assuré à ma mère que je saurais rentrer seule, j'ai entendu des pas dans mon dos. Claudia Koshi m'a rejointe, suivie de deux copines (dont l'une avait des nattes et qui ressemblait fort à celle qui m'avait indiqué mon chemin le matin).

– Salut, les filles ! leur a lancé Claudia. Vous êtes sûres que vous ne voulez pas faire le chemin avec moi ?

– Impossible, a répondu la fille aux nattes. On doit passer prendre David Michael à l'école.

– OK, à plus !

Claudia s'est tournée vers moi.

– Je m'appelle Claudia, m'a-t-elle rappelé. Et toi, Lucy, c'est ça ?

– Oui.

– Tu habites dans le coin ?

– Sur Fawcett Avenue… et euh… justement, hum… je ne sais plus trop comment on y va.

Claudia a souri.

– J'habite Bradford Alley, c'est juste à côté, je vais te raccompagner. Emily m'a dit que tu vivais à New York avant ?

J'ai acquiescé.

– Comment ça se fait que tu aies déménagé ?

– Je… mon père a changé de travail.

Claudia avait l'air d'attendre la suite, comme je n'ajoutais rien, elle a remarqué :

– J'adore tes boucles d'oreilles. Elles sont vraiment très jolies.

– Merci, j'aime beaucoup les tiennes aussi.

– Merci, c'est moi qui les ai faites.

– Tu veux rire ?

– Non, j'adore fabriquer des choses, peindre, dessiner…

Avec ses grands anneaux, son bracelet multicolore et son jean brodé (qu'elle avait sûrement customisé elle-même), Claudia avait effectivement un look d'artiste.

– Ça fait longtemps que tu habites à Stonebrook ? ai-je demandé.

– Depuis toujours. Tu as de la chance d'avoir vécu à New York. J'adorerais aller faire du shopping là-bas. Il y a tellement de boutiques… Toi aussi, tu t'intéresses à l'art ?

– Pas comme toi, je ne dessine pas, ni rien. Mais j'adore la mode, essayer de composer des tenues originales, et tout ça.

Claudia a hoché la tête.

– Il faudrait que tu viennes chez moi un jour. Ce serait sympa.

– OK, avec plaisir.

Elle m'a raccompagnée jusque chez moi sans qu'une seule fois la conversation ne dévie sur mon diabète ou tous mes mauvais souvenirs. Alors que je montais les marches du perron, elle m'a crié :

– On se voit demain au collège !

– Ouais, à demain !

Une fois la porte refermée derrière moi, j'ai levé un poing en l'air en murmurant :

– Cool !

17
Kristy

L'idée de fonder le Club des Baby-Sitters m'est venue un mardi soir, une semaine après la rentrée.

Mon année de cinquième se présentait plutôt bien… jusqu'à ce petit incident qui m'est arrivé à la fin du cours de M. Redmont, cet après-midi-là.

Il faisait une chaleur caniculaire, si bien que, le collège n'étant pas climatisé, les profs avaient ouvert toutes les portes et les fenêtres. Comme nous n'arrivions pas à nous concentrer, M. Redmont avait interrompu son cours pour qu'on se fabrique des éventails. En fait, ce n'était pas franchement efficace, mis à part pour chasser les abeilles. Mais en pliant mon papier en accordéon, j'ai laissé vagabonder mes pensées. Depuis notre conversation au square, ça allait mieux entre Claudia, Mary Anne et moi. Nous faisions des efforts pour nous voir, en partant au collège ensemble le matin et parfois en rentrant toutes les trois le soir. Mary Anne et moi, nous avions même déjeuné un midi à la table de

Claudia. Mais il y avait tellement de monde et de bruit que Mary Anne préférait généralement s'asseoir dans un coin plus calme. Claudia m'avait appelée deux ou trois fois pour les devoirs, et Mary Anne lui avait téléphoné afin de lui demander conseil au niveau vestimentaire (même si le plus dur était de convaincre son père d'appliquer ces conseils en l'autorisant, par exemple, à aller au collège en jean). Néanmoins, parfois, en regardant Claudia discuter avec des garçons ou enfourcher son vélo pour faire du shopping en ville, j'avais l'impression de voir une étrangère.

Quant à mon père, j'essayais de ne pas trop y penser. C'était beaucoup plus facile maintenant que j'avais repris les cours et toutes mes activités. Avait-il seulement conscience que j'avais douze ans, désormais ? Je l'ignorais. J'en avais finalement parlé à ma mère. Le jour de la rentrée, comme je n'avais pas encore beaucoup de devoirs, elle m'avait surprise en train de tourner en rond dans ma chambre.

– Ça s'est mal passé au collège aujourd'hui ? s'était-elle inquiétée en s'asseyant sur mon lit.

J'avais secoué la tête.

– Non… En fait, je pensais à papa.

Sans rien dire, elle m'avait passé le bras autour des épaules.

– Tu as des nouvelles de lui, maman ?

– Nous sommes toujours en contact, mais je ne l'ai pas souvent au téléphone.

– Tu… tu crois qu'il a pensé à mon anniversaire ? avais-je demandé et, contre toute attente, j'avais fondu en larmes.

Maman m'avait prise dans ses bras comme quand j'étais petite et que j'étais tombée de vélo ou que j'avais perdu à la pétanque contre Mary Anne (ce qui était affreusement vexant car elle n'a jamais été très sportive).

– Je ne sais pas, mais même s'il n'y a pas pensé, ça ne signifie pas…

– Qu'il ne m'aime pas, c'est ce que tu allais dire ? l'avais-je coupée, furieuse.

– Tout à fait. Il t'aime, Kristy, quoi qu'il en soit.

– Eh bien, il a une drôle de façon de le montrer.

– Oui, avait confirmé ma mère, il a une drôle de façon d'appréhender beaucoup de choses.

Je m'étais dégagée de son étreinte.

– Tu lui en veux encore ?

Elle avait soupiré.

– Il m'a beaucoup déçue, mais je ne suis plus en colère depuis longtemps, parce que c'est gaspiller de l'énergie pour rien.

– En plus, maintenant, tu as Jim, avais-je remarqué.

– Oui, mais je ne sais pas encore où ça va me mener, Kristy.

J'étais donc en train de me repasser cette conversation dans ma tête en cours de géographie alors que, nos éventails terminés, nous étions censés nous intéresser à la situation de l'Amérique du Sud. Lorsque la sonnerie a retenti, je n'ai pas pu me retenir : je me suis levée d'un bond en laissant échapper un grand « YOUPI ! » de soulagement.

M. Redmont s'est figé, sous le choc. Il pensait sûrement avoir été sympa pour l'histoire des éventails, et voilà que, moi, espèce d'ingrate, je manifestais ouvertement ma joie que son cours soit fini.

J'ai senti que j'allais avoir des ennuis.

Comme prévu, il a dit :

– Vous pourrez sortir une fois que vous aurez fini de noter vos devoirs. Kristy, j'aimerais te parler une minute.

Mince !

Heureusement, il est plutôt cool, comme prof, et je m'en suis tirée avec une rédaction de cent mots sur l'importance de faire preuve d'un certain tact en classe.

– Oui, monsieur, ai-je acquiescé alors que je n'avais qu'une vague idée de ce que signifiait le mot « tact ».

Ce jour-là, c'était mon tour de garder David Michael après les cours. Je suis passée le chercher à l'école avec Mary Anne. Elle est venue chez nous et nous avons bu un verre de limonade, savourant la fraîcheur de notre cuisine climatisée.

– Hé, Mary Anne. Mme Newton voulait quelqu'un pour garder Simon cet après-midi, mais je n'étais pas libre. Elle ne t'a pas appelée ?

– Non, elle a dû demander à Claudia. En revanche, demain, je garde Claire et Margot, a-t-elle précisé, toute fière.

Nous sommes ensuite allés nous promener au bord du ruisseau avec Foxy. Nous nous sommes trempé les pieds dans l'eau fraîche, David Michael a essayé de fabriquer un bateau avec des feuilles et de l'écorce, pendant que mon chien courait après les écureuils.

Bref, un après-midi banal et agréable… Jamais je n'aurais pu présager l'événement extraordinaire qui allait se produire !

Nous sommes rentrés tranquillement. En arrivant devant la maison, Mary Anne m'a glissé :

– À neuf heures, OK ?

J'ai acquiescé.

– D'accord.

Cela signifiait qu'on se retrouverait à neuf heures devant nos fenêtres pour communiquer avec nos lampes de poche.

Lorsque maman est rentrée un peu plus tard, une délicieuse odeur de fromage et de poivrons grillés a envahi la cuisine. Elle avait rapporté une pizza !

Mes frères ont pris un air soupçonneux.

– Je me demande ce qu'elle a à nous annoncer, a murmuré Charlie.

Moi, je préfère ne pas tourner autour du pot. Je l'ai questionnée franchement :

– Pourquoi tu as acheté une pizza, maman ?

Sam m'a donné un coup de pied sous la table, mais j'ai tout de même insisté :

– Qu'est-ce qui se passe ? Tu as quelque chose à nous demander ?

Maman a souri.

– Bon… vous avez deviné. Pour vous laisser plus de temps libre cette année, j'ai embauché une baby-sitter pour garder David Michael deux fois par semaine. Mais elle m'a appelée cet après-midi au travail, pour me dire qu'elle n'était pas disponible demain. Alors je voulais savoir si…

– Impossible, j'ai entraînement de foot, s'est empressé de répondre Sam.

– Soutien de maths, a enchaîné Charlie.

– Je garde Simon Newton, ai-je renchéri.

– Mince !

– Désolés, maman ! avons-nous dit en chœur.

– Non, non, je comprends.

Mes frères et moi, nous avons attaqué la pizza pendant qu'elle passait des coups de fil. Elle a appelé Mary Anne car j'avais oublié de lui dire qu'elle gardait Margot et Claire.

Puis elle a téléphoné à Claudia, qui avait cours d'arts plastiques.

Elle a essayé deux lycéennes dont elle avait noté le numéro, mais elles avaient répétition de pom-pom girls.

David Michael était au bord des larmes.

Finalement, ma mère a appelé Mme Newton pour lui demander si ça la dérangeait que j'emmène mon petit frère avec moi pour garder Simon. Heureusement, ça ne lui posait pas de problème.

Quel dommage ! Maman avait passé tellement de temps au téléphone que sa pizza avait refroidi. Et David Michael n'avait presque rien mangé, embêté de lui causer tant de soucis.

C'est alors que j'ai eu une idée géniale... et que j'ai failli m'étouffer avec ma pizza.

J'avais tellement hâte qu'il soit neuf heures pour prévenir Mary Anne. J'avais trouvé la solution aux problèmes de ma mère (et de nombreux autres parents) : j'allais fonder un club de baby-sitters !

Après le dîner, je suis montée directement m'enfermer dans ma chambre. Je me suis assise à mon bureau, j'avais trois choses à faire : la rédaction sur le tact, mes devoirs et réfléchir à l'organisation du Club des Baby-Sitters.

Après avoir cherché le mot « tact » dans le dictionnaire et découvert que j'en manquais souvent, j'ai compris que, en gros, je m'étais montrée impolie. (Pourquoi les professeurs compliquent toujours tout ?) J'ai gribouillé un petit paragraphe sur le fait que le manque de politesse mettait une mauvaise ambiance dans la classe et que, vu de l'extérieur, cela ne donnait pas la meilleure image de notre collège et de ses élèves. Bref, j'ai bricolé une rédaction de cent mots pile (« fin » était le centième).

Puis j'ai expédié mes devoirs et, enfin, je me suis assise sur mon lit, un bloc à la main pour prendre quelques notes au sujet du Club des Baby-Sitters :

1) Membres :
Moi
Mary Anne
Claudia
Qui d'autre ?
2) Publicité :
Prospectus
Téléphone
Annonces dans les journaux ?
3) Définir une plage horaire pour que les clients puissent nous joindre et trouver un local pour les réunions (avec téléphone à disposition).
4) Fixer une cotisation pour les dépenses communes ?

J'imagine que vous avez compris mon idée. Je voulais fonder un club avec mes deux amies pour faire du baby-sitting. Nos clients pourraient nous appeler au numéro du club à un certain moment dans la semaine où nous tiendrions nos réunions. En un seul coup de fil, ils pourraient joindre plusieurs personnes et l'une d'entre nous serait forcément disponible. Ainsi nous leur éviterions le stress que maman venait de connaître.

Je savais que Mary Anne serait enthousiaste, et j'espérais que Claudia aussi. En plus, si elle faisait partie du club, on se verrait plus souvent.

À neuf heures pile, j'ai éteint ma lampe de bureau, et je me suis tournée face à la fenêtre, torche en main.

Je l'ai allumée une fois pour prévenir Mary Anne de ma présence.

Elle m'a répondu.

Puis je lui ai envoyé ce message (ça m'a pris une éternité) :

AI EU SUPER IDÉE POUR CLUB DE BABY-SITTING. URGENT DE SE VOIR. ON AURA PLEIN DE BOULOT.

Au bout d'un moment, Mary Anne a répondu :

QUOI ?

J'ai dû tout recommencer en abrégeant le message. Enfin, elle a compris.

GÉNIAL. À DEMAIN.

J'ai rallumé ma lampe de bureau pour préparer mon sac quand ma mère a frappé à la porte.

– Entrez !

Elle s'est assise sur le coin de mon lit en souriant.

– Je voulais te prévenir que je sortais avec Jim samedi soir.

J'ai râlé.

– Je ne te demande pas ta permission, Kristy. C'est simplement pour m'organiser. Sam sort, mais Charlie sera là.

J'ai hoché la tête.

– Et si tu essayais de donner une chance à Jim ?

– Faut voir…, ai-je marmonné.

Je savais que je me comportais comme une idiote. Heureusement, ma mère est compréhensive. Elle m'a embrassée avant de quitter la chambre en disant :

– Tu ne te couches pas trop tard ?

– Oui, maman.

Une fois sous la couette avec Foxy qui ronflait à mes côtés, j'ai repensé à cet été, aux étoiles filantes, et à l'avenir. Je me demandais ce que l'année de cinquième me réservait. Et surtout si mon projet de club allait marcher. Si maman et Jim allaient rester ensemble. Et si mon père nous enverrait une carte pour Noël... (Cette fois, je me suis formellement interdit de guetter le courrier avant le 15 décembre au moins.)

J'écoutais les bruits de la maison. Le souffle de Foxy. La musique qui montait du salon. Par la fenêtre ouverte, j'entendais des criquets, le hululement d'une chouette, une voiture qui passait lentement dans la rue. J'ai délicatement poussé mon chien pour m'agenouiller sur mon oreiller et regarder dehors. Il faisait noir dans la chambre de Mary Anne, mais il y avait de la lumière dans le salon.

Alors que j'allais me rallonger, un trait brillant a fusé à travers le ciel, aussi rapide que l'éclair. Une dernière étoile filante. C'était la fin de l'été... et le début d'une nouvelle aventure !

Ann M. Martin

L'auteur

Ann Matthews Martin est née le 12 août 1955. Elle a grandi à Princeton, aux États-Unis, avec ses parents et sa jeune sœur, Jane.
Elle a été enseignante, puis éditrice de livres pour enfants, avant de se consacrer à la littérature. Pour écrire, elle s'inspire d'expériences personnelles, mais aussi de sa connaissance du monde de l'enfance et de l'adolescence.
Tous ses personnages, même les membres du Club des Baby-Sitters, sont des personnages imaginaires (ainsi que la ville de Stonebrook). Mais beaucoup d'entre eux ressemblent à des gens qu'Ann M. Martin connaît.
Ann M. Martin vit actuellement à New York et ses passe-temps favoris sont la lecture et la couture – elle aime particulièrement réaliser des habits pour les enfants.
Sa série *Le Club des Baby-Sitters* s'est vendue à plusieurs millions d'exemplaires et a été traduite dans plusieurs dizaines de pays.

Remerciements

Mille mercis à mon neveu Henry, qui m'a fait connaître *Ainsi de suite*, ainsi qu'à Haedyn et Holden Riley, qui ont inventé le jeu du *Pot de colle*.

Le papier de cet ouvrage est composé de fibres naturelles, renouvelables, recyclables et fabriquées à partir de bois provenant de forêts gérées durablement.

Mise en pages : Nord Compo

Loi n° 49-956 du 16 juillet 1949
sur les publications destinées à la jeunesse
ISBN : 978-2-07-066704-8
Numéro d'édition : 283406
Dépôt légal : avril 2015

Imprimé en Espagne par Novoprint